D0330374

# DIRE OUI À L'AMOUR

**Couverture**

- Maquette:
  GAÉTAN FORCILLO

**Maquette intérieure**

- Conception graphique:
  JEAN-GUY FOURNIER

DISTRIBUTEURS EXCLUSIFS:

- Pour le Canada:
  AGENCE DE DISTRIBUTION POPULAIRE INC.*
  955, rue Amherst, Montréal H2L 3K4 (tél.: 514-523-1182)
  *Filiale de Sogides Ltée

- Pour la France et l'Afrique:
  INTER-FORUM
  13, rue de la Glacière, 75013 Paris (tél.: 570-1180)

- Pour la Belgique, la Suisse, le Portugal, les pays de l'Est:
  S.A. VANDER
  Avenue des Volontaires 321, 1150 Bruxelles (tél.: 02-762-0662)

Leo Buscaglia

# DIRE OUI À L'AMOUR

traduit de l'américain
par
Léandre Michaud

le jour,
éditeur

**DU MÊME AUTEUR CHEZ LE MÊME ÉDITEUR:**

*Apprendre à vivre et à aimer*

**À PARAÎTRE:**

*La Personnalité*

© 1972, Leo F. Buscaglia, Inc.

Tous droits réservés

© 1984 LE JOUR, ÉDITEUR,
DIVISION DE SOGIDES LTÉE

Ce livre a été publié en américain sous le titre:
*Love*
chez Holt, Rinehart and Winston, New York

*Bibliothèque nationale du Québec*
*Dépôt légal — 1er trimestre 1984*

ISBN 2-89044-144-X

Ce livre est dédié à Tulio et à Rosa Buscaglia, mon père et ma mère, qui ont été mes meilleurs professeurs en amour, car ils ne l'ont jamais enseigné, ils l'ont manifesté.

Ce livre est aussi dédié à tous ceux qui m'ont aidé à continuer de croître en amour, et à ceux qui m'y aideront demain.

Leo F. Buscaglia

« Se duper soi-même sur l'amour est la plus terrible déception; c'est une perte éternelle, irréparable dans le temps comme dans l'éternité. »

— Kierkegaard

# Introduction

Au cours de l'hiver 1960, une de mes étudiantes, jeune femme sensible et intelligente, se suicidait. Elle venait apparemment d'une bonne famille de la haute bourgeoisie; ses notes étaient excellentes; elle était populaire, on recherchait sa compagnie. Ce jour de janvier, elle s'en alla en auto jusqu'aux falaises de Pacific Palisades, à Los Angeles, elle laissa tourner le moteur, elle marcha jusqu'au bord d'un précipice surplombant la mer et elle plongea vers la mort sur les rochers. Elle n'avait laissé aucune note, pas un mot d'explication. Elle avait vingt ans.

Je n'ai jamais oublié ses yeux, alertes, vifs, affectueux, pleins de promesse. Je me rappelle aussi ses devoirs et examens que je lisais toujours avec intérêt. J'avais écrit sur un de ses devoirs une note qu'elle n'a jamais pu voir: « Un très bon devoir. Perspicace, intelligent et sensible. Il indique votre capacité de mettre en application dans votre vie « réelle » ce que vous avez appris. Beau travail! » Qu'est-ce que je savais de sa vie « réelle »?

Je me demande souvent ce que je lirais dans ses yeux ou dans ses devoirs si je pouvais les voir maintenant. Mais, comme c'est le cas pour tant de gens et de situations dans notre vie, nous les regardons superficiellement, les gens et les situations passent et on ne peut jamais les revoir du même oeil.

Je ne me reprochais pas sa mort. Je me demandais simplement ce que j'aurais fait s'il m'avait été possible, même momentanément, de l'aider.

C'est cette question, plus que toute autre chose, qui m'a amené cette année-là à entreprendre un cours expérimental. Il devait s'agir d'un groupe informel, l'assistance au cours serait facultative; tout étudiant pourrait être présent ou absent, à son choix. Ce cours devait être consacré à la croissance personnelle. Je ne voulais pas le voir devenir centré sur les problèmes, ou se transformer en un groupe de psychothérapie ou en un groupe de rencontre. J'étais pédagogue, pas psychothérapeute. Je voulais que ce cours fût une expérience unique d'apprentissage. Je voulais lui donner un cadre de travail défini quoique souple et le rendre intéressant et important pour l'étudiant, relié à son expérience immédiate. Les étudiants avec qui je travaillais s'intéressaient, à leur âge plus que jamais, à la vie, à la sexualité, à la croissance, à la responsabilité, à la mort, à l'espoir, à l'avenir. Il était évident que le seul sujet qui était au coeur de tous ces intérêts et les incluait tous, et même davantage, c'était l'amour.

J'ai intitulé ce cours: « Cours d'amour ».

Je savais d'avance que je ne pouvais pas « enseigner » — au sens formel — une chose telle que l'amour. Ç'aurait été prétentieux. J'étais moi aussi limité par ma connaissance et mon expérience de la question. J'étais aussi activement engagé que n'importe lequel de mes étudiants en recherchant les véritables significations du mot. Je pouvais uniquement agir comme animateur à mesure que nous nous dirigions les uns et les autres vers une compréhension du délicat problème de l'amour humain.

Ma détermination à entreprendre un tel cours n'a rencontré aucune résistance: je travaillerais sans salaire et sur mon propre temps sans revendiquer de crédit de tâche. Naturellement, quelques objections sont venues de ceux qui ne considéraient pas l'amour comme un sujet académique ni comme une donnée assez sérieuse pour un cours universitaire.

Dans les semaines qui ont suivi cette initiative, j'ai été grandement amusé par les regards bizarres de certains collègues. Parlant de mes projets au cours du lunch au centre social de la faculté, un professeur traitait l'amour — et quiconque prétendait l'enseigner — de sujet « hors de propos »! D'autres demandaient en se moquant et avec un regard de concupiscence si la classe était dotée d'un équipement de laboratoire et si j'allais me constituer le premier investigateur...

Néanmoins, l'assistance des étudiants au cours a continué de s'accroître à tel point que nous avons dû limiter les inscriptions à 100 étudiants par année. Ceux-ci étaient de tous âges, depuis les débutants jusqu'aux diplômés, évidemment avec des degrés variés d'expérience et de raffinement. Chacun était singulier et, comme tel, avait des approches personnelles du sujet et une connaissance particulière à partager.

Ce livre est un produit de ce « cours d'amour ». Comme tel, il n'a d'aucune façon l'intention d'être académiquement et profondément philosophique, ou de constituer un ouvrage définitif sur l'amour. Il s'agit plutôt du partage de certaines des idées vitales et pratiques, des sentiments et des observations qui ont surgi du groupe, qui me semblaient inhérents à la condition humaine. On peut dire que les étudiants et moi avons écrit ce livre ensemble; on peut dire de ce livre qu'il a plus de 400 auteurs.

En trois ans, nous n'avons jamais tenté ni n'avons été capables de définir l'amour. Nous sentions, à mesure que nous étudiions l'amour, que pour le définir il faudrait le délimiter alors qu'il nous semblait infini. Comme le disait un étudiant: « Je trouve que l'amour, c'est comme un miroir. Lorsque j'aime quelqu'un, il devient mon miroir et je deviens le sien, et, nous reflétant l'un l'autre dans l'amour, nous voyons l'infini! »

# Avant de dire oui
# à l'amour

(extrait d'une conférence prononcée au Texas en 1970 — et depuis)

Si nous devons être « en amour » ensemble, il est important que vous sachiez qui je suis et quel est mon propos. Mon nom est BUSCAGLIA et il se prononce n'importe comment. Je commence toujours en racontant l'histoire suivante que je trouve délicieuse. Récemment, je demandais l'interurbain; la ligne étant occupée, l'opératrice m'a dit qu'elle me rappellerait. Je lui ai laissé mon nom, j'ai attendu un certain temps, puis le téléphone a sonné. Quand j'ai pris la ligne, elle a dit: « S'il vous plaît, pourriez-vous dire au docteur Boxcar que son correspondant est en ligne? » J'ai dit: « Est-ce que ce ne serait pas Buscaglia? » Elle a pouffé de rire en disant: « Monsieur, ça peut ressembler à n'importe quoi! »

J'ai beaucoup de plaisir avec mon nom, non seulement parce que c'est Buscaglia, mais parce que, si vous l'examinez, vous y verrez aussi Leo F. En réalité, je m'appelle Leonardo; mais l'initiale du milieu, F., est en réalité mon vrai prénom; il s'agit de Felice, qui signifie bonheur. N'est-ce pas fantastique! Felice Leonardo Buscaglia! Récemment, je voulais visiter les pays du bloc communiste et j'avais besoin d'un visa. J'étais dans une grande salle à Los Angeles et je remplissais un formulaire très officiel que

15

j'ai remis, après quoi on m'a demandé de m'asseoir et d'attendre l'appel de mon nom. Le moment venu, ce pauvre homme s'est tenu à son comptoir pendant un moment; il examinait le formulaire et je savais que c'était moi qu'il allait appeler. Il a eu une sorte d'hésitation, a pris une profonde respiration, a regardé en l'air et a dit: « Phyllis? » Et je jure que je répondrai à n'importe quoi, sauf à ce nom de Phyllis.

Oui, je suis dans un « paquet d'amour » et je n'en ai pas honte. J'ai un seul message à transmettre et je peux vous le donner tout de suite. Alors vous pourrez laisser ce livre de côté, aller faire une promenade et tenir quelqu'un par la main ou faire ce que vous voudrez.

Dans notre société, nous vivons à une époque où nous commençons vraiment à rechercher ce qu'est la vie dans son ensemble, ce qu'est l'apprentissage, et ce que sont les processus de changement. Nous entrons en contact avec un nouveau vocabulaire. Nous parlons du « conditionnement », nous parlons de la « formation et de la modification du comportement », du renforcement, de ce qu'il est nécessaire de renforcer, nous considérons que ce qui est renforcé affectera probablement le comportement. Nous nous servons de toutes sortes de choses comme moyens de renforcement: l'argent, les cloches, les chocs électriques. Nous utilisons même les bonbons. Les M & M sont devenus le truc et, lorsque quelqu'un a la bonne réaction, on lui fourre un M & M dans la bouche. Mon message pour vous aujourd'hui est simple: le meilleur M & M au monde est un être humain chaleureux, vibrant, présent. VOUS! L'amour vrai est un phénomène très humain.

Il y a environ cinq ans, j'ai mis sur pied un cours d'amour à l'université. J'enseigne à une classe « en amour » et nous sommes probablement la seule université du pays à offrir un tel cours. Nous nous rencontrons les mardis soir. Nous nous assoyons sur le plancher, nous nous rapprochons, et je suis certain que les vibrations se font sentir dans le monde entier. Naturellement, je n'enseigne pas l'amour, je facilite simplement la croissance en amour.

L'amour est un phénomène qui s'apprend et je pense que les sociologues, anthropologues et psychologues nous le diront sans hésitation. Ce qui m'inquiète, c'est que peut-être plusieurs parmi nous ne sont pas heureux de la façon dont ils l'ont appris. En tant qu'humains d'expérience, nous devons sûrement croire en une chose plus qu'en toute autre, nous croyons au changement. Aussi, si vous n'êtes pas satisfait là où vous en êtes en termes d'amour, vous pouvez y changer quelque chose, vous pouvez créer un nouveau scénario. Vous pouvez donner ce que vous avez. C'est là le miracle. Si vous possédez l'amour, vous pouvez en donner. Si vous n'en disposez pas, vous n'en avez pas à donner. En réalité, ce n'est même pas vraiment une affaire de don. C'est plutôt une question de partage. Quoi que j'aie, je peux le partager avec vous. Je ne le perds pas; il me reste toujours. Par exemple, je peux enseigner à chaque lecteur tout ce que je sais. Il m'est possible — et ce n'est pas déraisonnable — d'aimer chacun avec une égale intensité et de posséder encore toute l'énergie d'amour que j'aie jamais eue. Il y a beaucoup de miracles relevant du fait d'être humain, mais l'amour est un des plus grands miracles.

Ce n'est que depuis peu qu'il est devenu tout à fait acceptable de mentionner ne serait-ce que le mot « amour ». Chaque fois que je vais parler quelque part, quelqu'un me demande: « Parlerez-vous de l'amour? » Je réplique: « Bien sûr. » Et ils disent: « Quel est le titre de votre exposé? » Je réponds: « Appelons simplement cela l'amour. » Il y a un bref moment d'hésitation, puis ils ajoutent: « Eh bien, vous savez, il s'agit d'une rencontre professionnelle et cela peut n'être pas compris. Que diront les médias? » Je propose alors: « L'affect comme modificateur du comportement », ils sont d'accord parce que ce titre est plus recevable et scientifique, et tout le monde est content.

L'amour a vraiment été laissé pour compte par les scientifiques. C'est étonnant. Mes étudiants et moi avons fait une recherche. Nous avons parcouru des livres en psychologie, en sociologie, en anthropologie, et c'est à peine si nous avons pu trouver le mot « amour ». C'est incroyable, puisque l'amour est quelque chose de si fondamental dont nous avons tant besoin, quelque chose que nous recherchons tous continuellement; pourtant, il n'existe pas de cours dans ce domaine. On croit simplement que ça nous arrive à travers quelque force mystérieuse de la vie.

Un des derniers livres de Pitirim Sorokin s'intitule *Les voies et le pouvoir de l'amour*. Il contient des études merveilleuses sur l'affectivité dans laquelle cet homme s'est engagé parce qu'il s'inquiétait vraiment du fait que tout le monde semblait aller dans des directions opposées. Le docteur Albert Schweitzer a dit: « Nous sommes tous tellement ensemble, mais nous mourons tous de solitude. » C'est une chose que je ressens, vous la connaissez aussi, et le docteur Sorokin a lui aussi pensé que c'était vrai. Il essaie dans son livre de partager certaines des choses qui peuvent nous rapprocher. Si nous n'en avons jamais eu besoin, nous en avons maintenant besoin. Dans l'introduction de son livre, il dit ceci: « L'esprit sensé nie catégoriquement le pouvoir de l'amour. L'amour nous semble quelque chose d'illusoire. Nous l'appelons illusion, opium de l'esprit des gens, fantasme sans fondement et foutaise sans base scientifique. » Certains d'entre vous ont été élevés dans une classe d'économique A-plus avec un manuel de Samuelson. Vous rappelez-vous ce livre en-

18

nuyeux? Même dans sa dernière édition, après cinq autres
— pouvez-vous imaginer cinq éditions du même livre? —,
il y a un chapitre farfelu intitulé: « L'amour et l'économique ». C'est un beau chapitre. En introduction, l'auteur
y dit: « Je sais que mes collègues de Harvard vont dire que
j'ai perdu l'esprit, mais je veux qu'ils sachent que je viens
à peine de le trouver. »

Sorokin dit aussi: « Nous sommes prévenus contre
toutes les théories qui essaient de démontrer le pouvoir
de l'amour dans la détermination de la personnalité et du
comportement humain en influençant le cours de l'évolution morale, mentale, sociale et biologique, en affectant
la direction des événements historiques et en créant
les institutions sociales et la culture. Dans les milieux
informés, ces théories apparaissent sans fondement, sûrement sans base scientifique, pleines de préjugés et de
superstitions. » Et je pense que c'est vraiment là que
nous en sommes. L'amour est une foutaise nuisible, non
scientifique, faite de superstitions.

J'aimerais me rapprocher de vous en parlant de certaines des façons par lesquelles, à mon avis, nous pouvons
être des personnes humaines capables d'amour, tendres,
magnifiques, présentes et généreuses. En premier lieu,
l'individu aimant doit prendre soin de lui-même. C'est
primordial. Je ne veux pas dire qu'il s'agit d'être égocentrique. Je parle de quelqu'un qui prend vraiment soin de
lui, qui dit: « Tout est filtré par moi, aussi, plus je suis
en forme, plus j'ai à donner. Plus j'ai de connaissance,
plus j'ai à donner. Plus j'ai de compréhension, plus j'ai la
capacité de transmettre aux autres et de me rendre le plus
fantastique, le plus beau, le plus merveilleux, le plus tendre
des êtres humains au monde. »

Quelques grands psychologues humanistes comme
Rogers, Maslow et Herbert Otto ont poursuivi en Californie un travail passionnant. Ces hommes et d'autres

19

disent que nous ne sommes qu'une petite portion de nous-mêmes et que le potentiel de l'être humain est immense, qu'il n'est pas bizarre de dire que, si nous voulions vraiment voler, nous pourrions le faire. Nous pourrions être doués d'une sensibilité si grande que la couleur serait perceptible à tous nos sens! Nous pourrions avoir la capacité de voir mieux qu'un aigle, de sentir mieux qu'un chien, et avoir un esprit si vaste qu'il serait constamment rempli de rêves passionnants. Il semble que nous soyons déjà parfaitement satisfaits de n'être qu'une petite partie de ce que nous sommes. Un psychiatre londonien, R.D. Laing, propose dans son livre, *Les stratégies de l'expérience*, quelque chose de très provocant, quelque chose d'étrange et de plutôt effrayant, et pourtant un défi merveilleux. Il dit: « La pensée est moins étendue que le savoir; la connaissance est moindre que l'amour, qui, lui, est encore moindre que la réalité; et plus précisément, nous sommes beaucoup moins que ce que nous sommes. » N'est-ce pas bouleversant?

À partir de cela, nous devrions être animés d'une immense aspiration au devenir. Si toute la vie se dirige vers le devenir, la croissance, le plein exercice de tous les sens, voir, sentir, entendre, toucher, il n'y a pas de place pour l'ennui. Je crie à mes étudiants: « Pensez à ce que vous êtes et à votre formidable potentiel! »

Il me semble que par le passé nous n'avons pas suffisamment reconnu que chaque individu est merveilleusement unique. Je suis d'accord avec le fait que la personnalité est, avec l'hérédité, la somme totale de toutes les expériences vécues depuis la conception jusqu'en ce moment de notre vie. Mais ce que nous négligeons, c'est le facteur X. Quelque chose à l'intérieur de vous qui est différent de tout autre humain, qui déterminera votre projection dans ce monde, comment vous considérez ce monde, comment vous deviendrez cet humain singulier. Je m'inquiète pour cette singularité parce qu'il me semble que nous la négligeons, que nous la perdons. Nous ne mettons pas l'accent sur ce fait; nous ne persuadons pas les gens de découvrir leur singularité et de la développer.

L'éducation devrait être le moyen d'aider chacun à découvrir son individualité, de lui enseigner comment développer cette individualité et ensuite de lui montrer comment la partager, car c'est la seule chose qui en vaille la peine. Imaginez ce que serait le monde si chacun, vous rencontrant, vous disait: « C'est merveilleux que tu sois spécial et différent. Révèle-moi tes différences pour que peut-être je puisse en apprendre quelque chose. » Mais on voit encore se perpétuer les méthodes par lesquelles on tente de rendre chacun semblable à tout le monde.

Il y a quelques années, avec quelques-uns de mes étudiants en pédagogie à l'université, je suis retourné dans des classes et j'ai été estomaqué de découvrir que les choses se passaient de la même façon que lorsque moi j'étais à l'école — il y a un million d'années. Par exemple, à l'occasion du cours de dessin. Rappelez-vous comment nous attendions toujours avec impatience le professeur de dessin. Nous sortions nos papiers et nos crayons, nous attendions, et enfin arrivait cette personne pressée. Je compatis vraiment avec un professeur d'art qui va de classe en classe. Elle arrive en courant d'une autre classe et n'a que le temps de saluer le titulaire, de se retourner et de dire: « Chers enfants, aujourd'hui, nous allons dessiner un arbre. » Elle va au tableau, et elle dessine son arbre, lequel représente une grosse boule verte sur un petit pieu brun. Vous vous rappelez ces arbres en forme de sucette? Je n'ai jamais vu d'arbre ainsi fait de ma vie, mais elle le pose là devant vous et dit: « Très bien, les enfants, dessinez. » Chacun s'affaire et dessine.

Avec un peu de bon sens, même à ce jeune âge, vous avez vite fait de constater que ce qu'elle veut vraiment,

21

c'est que vous dessiniez son arbre, parce que plus vous vous rapprochez de son arbre, meilleure est votre note. Si vous aviez déjà compris cela en première année, vous lui remettiez un de ces arbres-sucettes et elle disait alors: « Oh, comme c'est mignon. » Mais voici que vient cet enfant qui, lui, sait vraiment ce qu'est un arbre alors que cette brave petite femme de professeur n'a jamais observé un arbre de sa vie. Lui, il a grimpé dans un arbre, il l'a serré dans ses bras, il en est tombé, il a écouté le bruit du vent dans ses feuilles. Il sait vraiment ce qu'est un arbre et il sait qu'un arbre n'est pas une sucette! Aussi prend-il ses crayons pourpre, jaune, orange, vert et magenta et dessine-t-il cette belle chose étonnante; il la remet au professeur qui y jette un regard en s'écriant: « Cet enfant a l'esprit dérangé! »

Il y a en éducation une histoire merveilleuse qui m'amuse toujours. Cela s'appelle « L'école des animaux ». J'aime la raconter tellement elle est étrange; pourtant elle est vraie. Les pédagogues en ont ri pendant des années, mais personne n'en fait rien. Les animaux partent un jour ensemble dans la forêt et décident de faire une école. Il y a un lièvre, un oiseau, un écureuil, un poisson et une anguille qui constituent la Commission scolaire. Le lièvre insiste pour que la course soit au programme. L'oiseau insiste pour que le vol soit au programme. Le poisson insiste pour que la natation soit au programme et l'écureuil insiste pour que grimper dans un arbre soit au programme. Ils mettent toutes ces choses ensemble et écrivent un Programme. Ils insistent ensuite pour que tous les animaux suivent tous les cours. Même si le lièvre obtient un A à la course, grimper à un arbre est un véritable problème pour lui; il tombe en arrière sans arrêt. Bientôt, il en arrive à avoir le cerveau dérangé et il ne peut même plus courir. Il découvre qu'au lieu d'avoir A à la course, il obtient C, et naturellement il a toujours F en grimpant perpendiculairement dans l'arbre. L'oiseau est vraiment merveilleux au vol mais, lorsqu'il s'agit de courir au sol, il n'y arrive pas si bien. Il ne cesse de se briser le bec et les ailes. Très bientôt, il obtient C au vol et F au sol, et il lui est très difficile de grimper perpendiculairement dans un arbre. La morale de cette histoire, c'est que celui qui prononce le discours de fin d'année de l'école, c'est une anguille mentalement retardée qui fait chaque chose à moitié. Mais les éducateurs sont très satisfaits parce que chacun a suivi tous les cours, et on appelle cela une éducation générale. Nous rions de cette histoire, mais c'est ce qui se passe. C'est ce que vous avez fait. Nous essayons vraiment de faire en sorte que tous soient semblables et on apprend vite que la capacité de se conformer est le gage du succès en éducation.

Le conformisme continue jusqu'à l'université. Nous, en éducation avancée, nous sommes aussi coupables que n'importe qui d'autre. Nous ne disons pas aux gens: « Volez! Pensez par vous-mêmes! » Nous leur transmettons notre vieille connaissance en leur disait: « Maintenant, voici ce qui est essentiel, voici ce qui est important. » Je connais des professeurs qui n'enseignent rien sauf une « meilleure façon »; ils ne disent pas: « Voici un paquet d'outils, maintenant va créer le tien. Va dans la pensée abstraite. Va dans le rêve. Rêve un certain temps. Trouve quelque chose de neuf. » Se pourrait-il que parmi leurs étudiants se trouvent plus grands rêveurs qu'eux? Ainsi, tout commence avec vous. Vous ne pouvez donner que ce que vous avez à donner. N'abandonnez pas votre arbre. Accrochez-vous à votre arbre. Vous êtes le seul vous, la seule combinaison magique de forces qui soit et qui ait jamais été, qui peut inventer un tel arbre. Vous êtes le meilleur « vous ». En étant autre chose, vous serez toujours second.

Nous vivons dans une culture où la personne ne se

mesure pas selon ce qu'elle est mais plutôt selon ce qu'elle possède. S'il a beaucoup, ce doit être un grand homme. S'il a peu, il doit être insignifiant. Il y a environ sept ans, j'ai décidé de faire quelque chose de vraiment bizarre, du moins à cette époque était-ce considéré comme bizarre. J'allais vendre tout ce que je possédais, mon auto, mon contrat d'assurances, ma maison, toutes ces choses « importantes », et j'allais me retirer pendant quelques années. J'allais chercher quelque chose pour moi. J'ai passé la plupart de mon temps en Asie parce que j'en savais moins sur l'Asie que sur toute autre partie du monde. Les pays d'Asie sont sous-développés. Ils ont peu de chose et doivent par conséquent être terriblement insignifiants. Eh bien, j'ai découvert quelque chose de très différent. Ceux d'entre vous qui y ont été ou qui ont approfondi la culture asiatique seront d'accord avec moi pour reconnaître combien ce concept occidental est erroné. J'ai appris beaucoup de choses en Asie, choses que j'ai rapportées avec moi et qui m'ont réellement placé sur un chemin différent. Je ne sais pas où il conduit, et cela ne me préoccupe guère, mais il est différent, passionnant et merveilleux.

J'ai découvert une chose très intéressante au Cambodge. Le pays est principalement constitué d'un grand lac nommé le Tonle Sap. Beaucoup de gens y vivent et y travaillent. Lorsque les touristes vont au Cambodge, ils vont directement à Angkor Wat, comme il se doit; c'est fantastique. Les ruines bouddhiques envahies par des forêts de grands arbres où les singes se balancent de l'un à l'autre sont incroyables. Cela dépasse vos rêves les plus fous. Lorsque j'étais là, j'ai rencontré une Française qui aimait tellement ce pays qu'elle y est demeurée après le départ des Français du Cambodge, même si elle n'était qu'une citoyenne de second plan. Elle aimait vraiment les gens et le pays et elle était prête à supporter n'importe quoi pour y rester. Elle me disait: « Vous savez, Leo, si vous voulez vraiment connaître ces gens, vous ne les trouverez pas dans les ruines. Vous les trouverez dans leurs villages. Prenez ma bicyclette et allez au Tonle Sap, vous verrez ce qui s'y produit maintenant. »

Au Cambodge, le climat est très rude. Chaque année, la mousson survient et balaie tout sur les fleuves, les détroits et les lacs. Aussi ne bâtit-on pas de grandes résidences permanentes, car la nature vous a appris qu'elles se feraient balayer. Vous construisez de petites huttes. Les touristes regardent en disant: « Ces pauvres gens ne sont-ils pas bizarres, vivre dans une pareille misère! » Ce n'est pas de la misère. C'est vous qui percevez ainsi leur situation. Ils aiment leurs maisons qui sont confortables et qui conviennent parfaitement à leur climat et à leur culture. Ainsi, je suis allé au lac. J'ai trouvé les gens en train de se regrouper pour affronter la mousson. Ils construisaient d'immenses radeaux. Quand arrive la mousson et qu'elle détruit leurs maisons, plusieurs familles peuvent tenir sur un radeau où elles vivent ensemble pendant environ six mois. Ne serait-il pas magnifique de vivre ainsi avec vos voisins? Imaginez si nous pouvions construire un radeau et vivre ensemble pendant six mois! Qu'est-ce qui nous arriverait probablement? Soudain nous constaterions comme il est important d'avoir un voisin — j'ai besoin de toi parce qu'aujourd'hui tu peux attraper le poisson que nous mangerons, ou je t'aime parce que je peux m'asseoir pour te parler si je suis seul, apprendre et comprendre un autre monde. Après les pluies, les familles retournent à leur vie de cellule familiale.

Je voulais les aider à déménager et je leur ai donc offert mes services en parlant par signes. Mais ils n'avaient rien à déménager. Quelques ustensiles, quelques nattes et à peine quelques vêtements. J'ai pensé: « Que feriez-vous si demain il y avait la mousson à Los Angeles? Qu'emporteriez-vous? Votre téléviseur? Votre automobile? Le vase que tante Catherine a rapporté de Rome? » Pensez-y. Ceci nous a été dramatiquement illustré lors des grands incendies de Los Angeles. Quelques photos parues dans le Los Angeles Times m'ont littéralement affolé. Une photo représentait une femme courant dans les rues de Malibu avec une grosse brassée de livres; à l'arrière-plan, on voyait l'incendie dévorer sa maison. J'ai pensé: « Comme j'aimerais connaître cette femme! J'aimerais savoir quels sont ces livres qu'elle considérait de si grande valeur. » Au cours d'un séminaire, j'ai montré la photo à un groupe d'étudiants supposément modèles. J'ai demandé: « Quelle sorte de livres pensez-vous que c'était? » Vous savez ce qu'ils m'ont répondu: « Ses rapports d'impôts »! Voilà où nous en sommes dans notre monde. J'ai même entendu parler d'une femme qui s'était sauvée avec ses timbres-primes! Elle a dit: « Je ne sais pas pourquoi j'ai fait ça », ce qui vous montre comme tout cela est insensé. Mais vous savez ce qu'elle avait sauvé de plus précieux? Elle-même! C'est tout ce qui importe. En fin de compte, on n'a que soi.

Ensuite, je pense que la personne capable d'amour se débarrasse des étiquettes. Vous savez, nous sommes vraiment merveilleux. Être humain, c'est la plus grande chose au monde, mais nous sommes aussi drôles et nous avons encore à apprendre à rire. Après tout, nous faisons de drôles de choses. Par exemple, nous avons inventé le temps, et nous sommes devenus esclaves du temps. En ce moment même, il se peut que vous pensiez que vous n'avez plus que dix minutes avant de devoir faire ceci ou cela. Vous pouvez vous trouver quelque part où quelque chose de vraiment incroyable arrive, mais il est 10 h 07, le temps de partir, et vous avez dû vous dépêcher. Nous avons partout des cloches qui sonnent. Des cloches? Chaque fois que nous entendons une cloche, nous réagissons. Elle nous dit que nous devons être ici ou que nous devons aller là. Nous avons inventé le temps, et maintenant, nous devenons les esclaves du temps.

La même chose est vraie avec les mots. Quand vous lisez des livres comme *Usage et abus du langage* de Hayakava, ou *Les gens en difficulté* de Wendell Johnson, vous voyez l'immense puissance du langage. Un mot n'est fait que de quelques symboles phonétiques sans signification juxtaposés. Vous lui donnez un sens et alors le mot vous reste. Vous lui donnez un sens cognitif, un sens émotif, et alors vous vivez avec ce mot. Le docteur Timothy Leary a fait un travail fantastique sur le cerveau lorsqu'il était à Harvard. Il a dit: « Les mots sont un gel du réel. » Une fois que vous apprenez un mot et que vous possédez la signification émotive et intellectuelle de ce mot, vous êtes collé avec ce mot pour le reste de votre vie. Ainsi se construit votre univers de mots. Tout ce qui arrive est filtré à travers ce système gelé, figé, qui nous empêche de croître. Nous disons des choses comme: « C'est un communiste! » Paf! Son cas est réglé. Nous cessons d'écouter. On dit: « C'est un Juif! » Vlan! C'est fait, nous cessons de le respecter. « C'est un étranger! » Vlan! Étiquettes, étiquettes, étiquettes! Combien d'enfants n'ont pas été instruits simplement parce que quelqu'un leur a épinglé une étiquette quelque part en cours de route? Stupide, imbécile, émotivement perturbé. Je n'ai jamais connu d'enfant stupide. Jamais! Jamais! Je n'ai connu que des enfants et jamais deux semblables. Les étiquettes sont des phénomènes de rejet. Elles nous éloignent les uns des autres. Les Noirs. Qu'est-ce qu'un Noir? Je n'en ai jamais connu deux semblables. Aime-t-il? Est-ce important pour lui? Qu'en est-il de ses enfants? A-t-il pleuré? Est-il seul? Est-il beau? Est-il heureux? Apporte-t-il quelque chose à quelque'un? Voilà ce qui est important. Non pas le fait qu'il soit Noir, Juif, étranger ou communiste, du parti politique au pouvoir ou dans l'opposition.

J'ai eu une expérience très particulière dans mon enfance. Vous pouvez vérifier dans les archives parce que tout y a été inscrit. Je suis né à Los Angeles de parents italiens immigrants. Une grosse famille. Maman et papa était évidemment de grands amoureux! Ils venaient d'un minuscule village situé au pieds des Alpes où tout le monde connaissait tout le monde. Tout le monde connaissait le nom des chiens, et le prêtre du village sortait et dansait dans les rues les jours de fête jusqu'à devenir aussi ivre que les autres. C'était le plus beau paysage au monde et un plaisir d'être élevé par ces gens à l'ancienne mode. Mais lorsqu'on m'a conduit à cinq ans à l'école publique pour passer un test devant un personnage à l'allure très officielle, la première chose que j'ai sue, c'est que j'étais dans une classe de retardés mentaux! Ça ne comptait pas que je sois capable de parler italien, en plus d'un dialecte régional. Je parlais aussi un peu de français et d'espagnol, mais je ne parlais pas l'anglais trop bien et ainsi, j'étais retardé mentalement. Je crois que maintenant le terme est « culturellement défavorisé ». J'ai été placé dans cette classe pour retardés mentaux et je n'ai jamais connu d'expérience éducative plus excitante dans ma vie! Je veux parler d'une enseignante sympathique, vibrante et chaleureuse. Son nom était miss Hunt et je suis sûr qu'elle était la seule dans l'école à pouvoir enseigner à ces « imbéciles ». C'était une grande femme bien en chair. Elle m'aimait même si je sentais l'ail. Je me souviens comme j'avais l'habitude des câlineries lorsqu'elle arrivait et se penchait sur moi. J'ai fait toutes sortes d'apprentissages pour elle parce que je l'aimais vraiment. Puis un jour, j'ai commis une énorme erreur. J'ai écrit un texte comme si j'étais un vrai Romain. Je décrivais les performances des gladiateurs, etc. Le résultat, c'est qu'on m'a fait repasser les tests et transféré dans une classe régulière; à partir de ce jour, je me suis ennuyé tout le reste de ma carrière d'étudiant!

Cela a été pour moi une époque traumatisante. Les autres me traitaient d'importé, de métèque, expressions très populaires dans le temps. Je n'y comprenais rien. Je me souviens en avoir parlé à papa qui était une espèce de grand patriarche, ce qu'il est encore. Je lui avais demandé: « Qu'est-ce que c'est, un métèque? » Et il m'avait répondu: « Oh, t'occupe pas, Felix, les gens donnent toujours des noms. Ça ne veut rien dire. Ils ne savent rien de plus de toi en te harcelant. Ne te laisse pas déranger par ça. » Mais ça me dérangeait! Ça me dérangeait parce que ça me rejetait. Ça m'isolait. Ça me donnait une étiquette. Je me sentais aussi un peu peiné parce que ça voulait dire que ces gens ne savaient rien de moi, même s'ils pensaient en savoir beaucoup en me traitant de métèque. Ils me catégorisaient. Ça les sécurisait. Par exemple, ils ne savaient pas que ma mère était chanteuse et que mon père était serveur lorsqu'ils sont arrivés dans ce pays. Mon père travaillait la majeure partie de la nuit, et ma mère était un peu seule. Alors elle nous réunissait tous les onze pour chanter *Aïda* ou *La Bohème*, et nous nous disputions les rôles! Je me souviens que j'étais le meilleur *Butterfly* de la famille. Je le suis encore et, lorsque le Metropolitan Opera va me découvrir, on connaîtra l'interprétation du siècle. Au moment où nous étions dix ou onze dans la famille, nous connaissions ces opéras par coeur et nous pouvions jouer tous les rôles. Les gens ont raté tout cela à cause d'une étiquette mesquine.

Par exemple, ils ne savaient pas que maman pensait que nous ne pouvions attraper aucune maladie si nous avions de l'ail autour du cou. Elle frottait de l'ail et le mettait dans un mouchoir qu'elle nous attachait autour du cou avant de nous envoyer à l'école. Et je vais vous révéler un petit secret: j'étais en parfaite santé, je n'ai pas été malade une seule journée. J'ai une théorie là-dessus: personne ne se serait approché suffisamment de moi pour me transmettre des microbes. Maintenant que, m'étant raffiné, j'ai abandonné l'ail, j'attrape un bon rhume par année. Ils ne savaient pas cela en me traitant d'importé et de métèque. Et ils ne connaissaient pas la règle de papa voulant qu'avant de quitter la table, nous lui disions ce que nous avions appris de nouveau ce jour-là. Nous trouvions cela horrible — quelle chose insensée! Pendant que mes frères et soeurs et moi nous lavions les mains en nous disputant le savon, je disais: « Nous sommes mieux d'apprendre quelque chose », nous nous précipitions sur l'encyclopédie que nous feuilletions pour trouver quelque chose comme: « La population de l'Iran est de tant de millions... », et nous marmonnions en nous-mêmes « La population de l'Iran est de tant de millions... ». Nous nous asseyions à table et, après le dîner composé d'énormes plats de spaghetti et de monceaux de veau si élevés qu'on ne pouvait même pas voir de l'autre côté de la table, papa se campait sur sa chaise, retirait de sa bouche son petit cigare noir et disait: « Felix, qu'est-ce que tu as appris de nouveau aujourd'hui? » Et je répondais d'une voix monotone: « La population de l'Iran est... » Rien n'était insignifiant pour cet homme. Il se retournait vers ma mère et disait: « Rosa, savais-tu ça? » Impressionnée, elle répliquait: « Non, je ne savais pas. » Nous nous disions: « Seigneur, ces gens sont fous. » Mais je vais vous dire un secret: même maintenant, en allant me coucher le soir, aussi fatigué que je sois comme ça arrive souvent, je me mets encore les mains derrière la tête et je me dis: « Félix, mon vieux, qu'as-tu appris de neuf aujourd'hui? » Et si je ne trouve rien, je m'oblige à prendre un livre que je feuillette pour trouver quelque chose avant de dormir. Peut-être que c'est ça, l'apprentissage. Mais ils ne savaient pas cela lorsqu'ils me traitaient de métèque. Les étiquettes sont des manifestations de rejet, cessons de les utiliser! Et quand des gens s'en servent autour de vous, ayez l'audace et le courage de dire: « Qu'est-ce que tu veux dire par là, parce que ça, moi, je ne comprends pas. » Si chacun de vous agit ainsi, ça va s'arrêter. Il n'y a pas de mot assez grand pour commencer à décrire même le plus simple des hommes. Mais seul votre agir peut être efficace. Une personne qui aime les autres ne peut pas supporter ça. Il existe trop de belles choses sur chaque être humain pour qu'on lui inflige une étiquette .

Une personne capable d'amour ne peut être que celle qui reconnaît sa responsabilité. Et croyez-moi, il n'y a pas de plus grande responsabilité au monde que celle de l'être humain.

Cette personne capable d'amour est une personne qui déteste le gaspillage, de temps et de potentiel humain. Comme nous gaspillons notre temps! Comme si nous devions vivre à jamais. Je vais vous raconter l'histoire suivante parce que c'est une de mes plus grandes expériences. Il y avait une jeune femme à l'école de pédagogie, qui selon moi avait les capacités pour devenir un des plus grands professeurs de tous les temps. Elle était pourtant bien de son époque et elle adorait les enfants. Elle était tellement enthousiaste qu'il était impossible de la retenir — « J'ai hâte de travailler pour vrai, j'ai hâte d'être avec les enfants... » Elle a terminé son cours, obtenu son diplôme et été engagée, naturellement, car elle était belle, tant mentalement que spirituellement. On lui a confié une classe préparatoire. Je me souviens de toute sa démarche parce que je l'ai suivie, étape par étape, dans ses grands moments d'émerveillement.

Arrivée dans sa classe, elle a consulté le programme pédagogique dont la première leçon était — et vous savez que c'est encore comme ça maintenant — « Allons au magasin » — le MA-GA-SIN. Elle a regardé cela et s'est dit: « Ce n'est pas possible. Nous sommes en 1970. Ces enfants ont été élevés dans les magasins. Ils se sont promenés dans des paniers à provisions. Ils ont fait dégringoler des pyramides de boîtes de conserve et ils ont renversé du lait. Ils savent ce qu'est un magasin. Qu'avons-nous besoin d'étudier un magasin? » Néanmoins, c'est ce qui se trouvait dans le programme, et elle a pensé: « Bien, peut-être que ce n'est pas sans intérêt et que je peux donner un cours vraiment passionnant sur le magasin. Je vais vraiment essayer. » Ce jour-là, elle s'est assise avec les enfants sur le tapis et a dit avec beaucoup d'enthousiasme: « Les enfants, aimeriez-vous étudier un magasin? » Ils ont répondu: « Oh non, pas ça! »

Les enfants de maintenant ne sont pas aussi dociles que ceux d'autrefois. McLuhan a démontré que la plupart des enfants ont regardé 5 000 heures de télévision avant d'arriver à la maternelle. Ils ont vu des viols et des meurtres, ils ont vu des liaisons amoureuses, ils ont entendu de la musique, ils ont été à Paris, à Rome. Sur leur téléviseur, ils ont vu de vraies personnes mourir violemment. Nous les amenons ensuite à l'école et nous leur enseignons des choses sur les magasins. Ou nous leur donnons un livre qui dit: « Léo dit Oh! Oh! Marie dit Oh! Oh! Grand-maman dit Oh! Oh! Tintin dit Oh! Oh! » Au diable Tintin! Il commence à être temps de nous rendre compte que nous éduquons des enfants, pas des choses. Nous devons nous dire: « Qui est ce nouvel enfant que nous éduquons et quels sont ses besoins? » Autrement, comment pourra-t-il survivre demain?

Et ainsi, cette jeune fille, parce qu'elle était un véritable professeur, a dit: « Très bien, que voulez-vous étudier? » Les yeux d'un enfant se sont ouverts tout grands et il a dit: « Tu sais, mon père travaille au laboratoire d'astronautique, et il peut nous avoir un modèle de navette spatiale, nous pourrions l'étudier et nous envoler vers la lune! » Tous les enfants se sont écriés: « Super! Fantastique! » Aussi a-t-elle dit: « Très bien, faisons ça. » Le lendemain, le père de l'enfant est arrivé et a monté un modèle de navette spatiale. Assis sur le tapis avec les enfants, il leur a parlé de vols vers la lune et du fonctionnement d'une navette spatiale. Vous auriez dû voir ce qui se passait dans cette classe. On y parlait d'astronomie, de théories complexes de mathématique. Ils n'avaient pas un vocabulaire de « oh! oh! » mais de pièces de vaisseau spatial, de galaxies, d'espace; un vocabulaire plein de signification.

Puis un jour, la directrice est arrivée en plein milieu de tout ce fantastique apprentissage. Elle a regardé autour d'elle et a dit: « Mademoiselle X, où est votre magasin? » Un jour, j'écrirai cette histoire pour une grande revue et je l'intitulerai « Mademoiselle X, où est votre magasin? ». La jeune enseignante a pris la directrice à part et lui a dit: « Vous savez, nous avons parlé du magasin, mais les enfants voulaient voler vers la lune. Voyez notre liste de vocabulaire et regardez les cahiers qu'ils font. Ensuite, quelqu'un viendra du laboratoire astronautique nous faire une démonstration... » La directrice a déclaré: « Néanmoins, mademoiselle X, le programme pédagogique dit que vous devez avoir un magasin, et vous aurez un magasin... (sourire pincé). N'est-ce pas, ma chère? »

Elle est venue me voir et m'a dit: « Qu'est-ce que toutes ces notions de créativité en éducation dont vous m'avez bourré le crâne qui me passionnaient et m'ont rendue enthousiaste? Puis je commence à enseigner et je dois faire des bananes en plasticine! » Vous mangez une banane, vous glissez sur une peau de banane, les bananes vous rendent malade, puis vous devez passer tout un module de six semaines à faire des bananes artificielles en plasticine pour le magasin. Quelle perte de temps! Et savez-vous ce que mademoiselle X a fait? Elle s'est assise avec les enfants et elle leur a dit: « Les enfants, voulez-vous que mademoiselle X soit là l'an prochain? » Et ils ont répondu: « Oh! oui! » « Eh bien alors, nous devons faire un magasin. » Et ils ont dit: « Très bien, on va le faire, mais faisons-le vite! » En deux jours, ils ont traversé un module de six semaines. Ils ont fabriqué ces damnées bananes de plasticine, rassemblé des boîtes et mis tout ce qu'il fallait dedans. Elle les a avertis aussi que, lorsque la directrice viendrait, il serait nécessaire de lui montrer qu'ils savaient se débrouiller dans un magasin. Quand la directrice est arrivée, elle était très contente parce qu'il y avait un magasin et que les petits enfants pouvaient dire: « Voulez-vous acheter des bananes aujourd'hui? » Et aussitôt qu'elle a eu le dos tourné, ils se sont envolés vers la lune! Quelle hypocrisie! Quel gaspillage!

Il ne suffit pas de vivre et de s'instruire uniquement pour le présent. Nous devons rêver de ce à quoi ressemblera le monde dans cinquante ans, nous instruire pour cent ans d'avance, et imaginer le monde qui sera dans mille ans. Le monde d'aujourd'hui ne sera plus pour l'écolier en première année son monde dans trente ans. Voyez comme le nôtre a changé. Inutile de se demander pourquoi nous sommes déboussolés, tendus et angoissés, nous ne sommes pas préparés à faire face au monde où nous vivons. Et il change si vite! Il n'y a plus de place pour « Maman Ours dit Oh! Oh! »

Ensuite, je pense que cet individu capable d'amour est une personne spontanée. C'est une chose que je ressens très fortement parce que je crois que nous avons perdu notre spontanéité. Nous sommes tous enrégimentés et nous marquons tous le pas. Nous avons oublié ce que c'est de rire et de trouver ça bon. On nous a enseigné qu'une jeune femme raffinée ne doit pas rire aux éclats; elle rit sous cape. Qui lui a imposé ce comportement? Le courrier du coeur? C'est complètement fou! Pourquoi écouterions-nous quelqu'un nous dire comment vivre notre existence? Et pourtant, chaque jour on peut lire dans les journaux: « Chère mademoiselle, ma fille se marie en février; quelle sorte de fleurs devrait-elle porter? » Et si votre fille veut porter des radis, laissez-la donc faire. « Cher décorateur-ensemblier, j'ai des rideaux puce dans mon salon, de quelle couleur devrait être mon tapis? » Je peux imaginer ce petit chat, assis dans son bureau, se dire « Ah! bon » et répondre « Pourpre. » Vous courez acheter pour des milliers de dollars de tapis pourpre avec des rideaux puce, et vous restez collé avec, et vous le méritez! Nous ne faisons plus confiance à nos propres sentiments. Les hommes ne pleurent pas... Qui a prétendu ça? Si vous avez envie de pleurer, pleurez. Moi, je pleure tout le temps, je pleure quand je suis heureux, je pleure quand je suis triste, je pleure quand un étudiant dit quelque chose de beau, je pleure en lisant de la poésie.

Si vous ressentez quelque chose, laissez savoir aux gens ce que vous sentez. N'êtes-vous pas fatigué de ces visages stoïques où rien ne transparaît? Si vous avez envie de rire, riez. Si vous appréciez ce que quelqu'un dit, allez-y et embrassez-le. Si vous sentez ce que vous faites, vous serez bien accueilli. Le retour à la spontanéité, le retour à la vie, savoir à quoi ça ressemble de vibrer. Parfois, je me lève le matin et je me sens si étrangement bien que j'ai de la difficulté à le croire. Je me souviens d'un jour où je m'en allais travailler en auto, et où je chantais les deux rôles du duo d'amour de *Butterfly*, la meilleure interprétation que j'aie jamais donnée; un policier m'a arrêté et s'est fourré la tête dans la portière; il avait un grand sourire pour me dire: « Ça va être la contravention la plus drôle de ma carrière. » J'ai demandé: « Qu'est-ce qu'il y a, monsieur l'agent? » Il a répondu: « Je poursuivais quelqu'un pour excès de vitesse et vous nous avez dépassés tous les deux! » J'adore ça. Je ne l'avais même pas vu. J'étais plongé dans mon merveilleux univers.

Nous nous éloignons constamment de nous-mêmes et des autres. Le scénario semble exiger de se tenir aussi loin que possible de l'autre, et non de s'en rapprocher. Je suis tout à fait pour un retour à la façon d'autrefois de toucher les gens. Ma main est toujours prête à toucher parce que, lorsque je touche quelqu'un, je sais qu'il est vivant. Nous avons vraiment besoin de cette confirmation. Les existentialistes prétendent que nous nous pensons tous invisibles et que parfois nous devons nous suicider pour affirmer le fait que nous sommes vivants. Bien, mais je ne veux pas faire ça. Il y a de meilleurs moyens moins radicaux de s'affirmer. Si quelqu'un vous embrasse, vous savez que vous devez être présent, sinon il vous passera à travers. J'embrasse tout le monde — venez seulement près de moi, il est plus que probable que vous serez embrassé, sûrement touché.

Il ne faut pas avoir peur de toucher, de sentir, d'exprimer ses émotions. La chose la plus facile au monde, c'est d'être ce que vous êtes, ce que vous sentez. La chose la plus difficile, c'est d'être ce que les autres veulent que vous soyez; pourtant c'est dans ce scénario que nous vivons. Êtes-vous vraiment vous-même ou êtes-vous ce que les gens vous ont dit que vous étiez? Et vous intéresse-t-il vraiment de savoir qui vous êtes? Car si vous êtes vous-même, vous vivrez l'aventure la plus heureuse de votre vie.

Cette personne capable d'amour est aussi quelqu'un qui connaît la joie et l'émerveillement constant d'être en vie. Je suis certain que, contrairement à ce que rapportent les médias, nous étions destinés à vivre heureux, car il y a tant de belles choses dans notre monde, des arbres, des oiseaux, des visages. Il n'y a pas deux choses semblables et les choses changent constamment. Comment peut-on s'ennuyer? On n'a jamais vu deux fois le même coucher de soleil. Examinez le visage de chacun. Chaque visage est différent. Chacun a sa propre beauté. Il n'y a pas deux fleurs semblables. La nature a horreur de l'uniformité. Même deux brins d'herbe ne sont pas identiques. Les bouddhistes m'ont appris une chose fantastique. Ils croient en l'« ici et maintenant ». Ils disent que la seule réalité est ce qui est ici, ce qui arrive entre vous et moi à l'instant présent. Si vous vivez pour demain, ce qui n'est qu'un rêve, vous vivrez alors un rêve non réalisé. Et le passé n'est plus le réel. Il a de la valeur seulement pour avoir fait de vous ce que vous êtes maintenant. Aussi ne vivez pas dans le passé. Vivez maintenant. Quand vous mangez, mangez. Quand vous aimez, aimez. Quand vous parlez à quelqu'un, parlez. Quand vous regardez une fleur, regardez. Saisissez la beauté de l'instant!

La personne capable d'amour n'a pas à être parfaite, seulement humaine. L'idée de perfections m'effraie. Nous avons presque peur de faire quelque chose si nous pensons ne pas pouvoir le faire parfaitement. Maslow dit qu'il y a de merveilleuses expériences que nous devrions tous vivre, comme par exemple créer une céramique ou peindre un tableau, le montrer et dire: « Voilà une extension de moi ». Il y a une autre théorie existentialiste qui dit: « Je dois être parce que j'ai fait quelque chose. J'ai créé quelque chose: par conséquent j'existe. » Mais nous n'y arrivons pas parce que nous avons peur que ce ne soit pas bien, que ce ne soit pas reconnu. Si vous vous sentez comme une tache d'encre sur un mur, faites-la. Dites: « C'est sorti de moi, c'est ma création, je l'ai faite et c'est bon. » Mais nous avons peur parce que nous voulons que les choses soient parfaites. Nous voulons que nos enfants soient parfaits.

En fouillant dans mes expériences personnelles, je me souviens de mes cours d'éducation physique à l'école élémentaire et secondaire. S'il y a des professeurs d'éducation physique qui lisent ceci, j'espère qu'ils m'entendent clairement. Il fallait tendre à la perfection. Or l'éducation physique devrait offrir à tous une chance égale; la seule compétition devrait avoir lieu par rapport à soi-même.

Si nous ne pouvons pas lancer une balle, apprenons alors à lancer une balle le mieux possible. Mais ça ne se passait pas ainsi; ils étaient toujours là à brandir la perfection. Il y avait toujours de ces gros types qui se tenaient prêts. Ils étaient les vedettes. Et j'étais là, la peau sur les os, avec mon petit sac d'ail autour du cou et une culotte qui ne m'allait pas, et toujours empêtré dans mes maigres jambes. J'attendais d'être choisi dans une équipe, et j'en mourais chaque jour de ma vie! Vous vous rappelez! On était alignés, et il y avait ces athlètes avec leur grosse poitrine musclée qui disaient: « Toi, je te choisis... », « toi, je te choisis... », on voyait la rangée diminuer, et on était là, toujours debout à attendre. Finalement, il n'en restait plus que deux, un autre petit maigrichon et vous. Et alors, quelqu'un disait: « O.K., je vais prendre Buscaglia », ou « je vais prendre le métèque », et vous sortiez de la rangée en mourant de honte parce que vous n'étiez pas à l'image de l'athlète qu'ils recherchaient. J'avais dans ma classe un étudiant qui était gymnaste. Il avait presque fait les Olympiques. Il a un pied-bot. Par ailleurs, il est aussi parfait que vous pouvez l'imaginer; il a un corps qui ferait l'envie de n'importe qui, un esprit magnifique, une chevelure fantastique, des yeux alertes et pétillants. Mais il ne se trouve pas beau parce qu'il a un pied-bot. Quelque part en cours de route, quelqu'un a manqué le bateau, et tout ce qu'il entend lorsqu'il marche dans la rue, c'est le clopinement de son pied même si personne ne s'en aperçoit plus. Mais il l'entend; alors, c'est ça qui existe. L'idée de perfection me dérange donc profondément.

Mais l'homme est toujours susceptible de croître et de changer, et si vous ne le croyez pas, vous êtes en train de mourir. Chaque jour, vous devriez voir le monde d'une façon nouvelle qui vous soit propre. L'arbre près de chez vous n'est plus le même; aussi regardez-le! Votre mari, votre femme, votre enfant, votre mère, votre père changent tous quotidiennement; aussi regardez-les! Tout est en processus de changement, y compris vous. L'autre jour, j'étais sur une plage avec certains de mes étudiants quand l'un d'eux a ramassé une vieille étoile de mer séchée qu'il a remise à l'eau avec beaucoup de précaution en disant: « Oh! elle n'est sèche qu'extérieurement et, avec l'eau, elle reviendra à la vie ». Il a réfléchi ensuite pendant une minute, et s'est tourné vers moi pour me dire: « Vous savez, peut-être est-ce là tout le processus du devenir; peut-être arrivons-nous de temps en temps au point de nous assécher; alors, tout ce dont nous avons besoin, c'est d'un peu plus d'humidité pour repartir à nouveau. » Peut-être est-ce là toute la question.

En fait, un investissement dans la vie est un investissement à modifier jusqu'au bout; ainsi nous ne pouvons être dérangés par la mort parce que l'activité de la vie nous tient trop en haleine! Laissons la mort prendre soin d'elle-même. Et n'allez pas croire que votre vie sera toujours paisible, la vie n'est pas faite ainsi. À cause des changements qui surviennent autour de vous, vous devez continuer de vous adapter, ce qui signifie que vous êtes constamment en devenir, qu'il n'y a pas d'arrêt. Nous sommes tous dans un fantastique voyage! Chaque jour est nouveau. Chaque expérience est nouvelle. Chaque personne est nouvelle. Tout est neuf, chaque matin de votre vie. Cessez de tout voir comme si c'était pénible! Au Japon, le fait de faire couler de l'eau est un cérémonial. On a l'habitude de s'asseoir dans une petite hutte au moment de la cérémonie du thé, où l'hôte prend une louche d'eau qu'il verse dans la théière tandis que chacun écoute. Le bruit de l'eau qui tombe est captivant au plus haut point. Je pense à ces gens qui prennent des douches et font couler de l'eau dans leur lavabo chaque jour, et qui n'ont jamais entendu le bruit de l'eau. Quand avez-vous écouté  tomber la pluie la dernière fois?

Herbert Otto affirme: « Le changement et la croissance ont lieu lorsqu'une personne a pris des risques avec elle-même et ose considérer sa vie comme un champ d'expérience. » N'est-ce pas fantastique! Quelqu'un se risque et ose faire de sa vie une expérimentation en se faisant confiance. Faire de sa vie une expérience est une chose très excitante, pleine de joie, de bonheur, d'émerveillement, et c'est aussi une chose effrayante. Effrayante parce que vous faites face à l'inconnu, et que vous vous débarrassez de toute complaisance.

J'ai le sentiment très fort que le contraire de l'amour n'est pas la haine, c'est l'apathie, c'est de s'en ficher. Si quelqu'un me déteste, c'est que je ne lui suis pas indifférent; sinon, il ne peut pas me détester. Il y a donc alors un moyen de le rejoindre. Si vous n'aimez pas le scénario dans lequel vous vivez, si vous êtes malheureux, si vous êtes seul, si vous croyez que les choses que vous voulez n'arrivent pas, changez votre scénario. Peignez un nouveau décor. Entourez-vous de nouveaux acteurs. Écrivez une nouvelle pièce. Et si ce n'est pas une bonne pièce, sortez de scène et écrivez-en une autre. Il y a des millions de pièces, autant qu'il y a de gens. Nikos Kazantzaki écrivait: « Vous êtes vos pinceaux et vos couleurs, peignez le paradis, et entrez-y. »

Une personne capable d'amour identifie ses besoins. Elle a besoin que les gens s'occupent d'elle, qu'on soit sensible, qu'on la voie et qu'on l'entende vraiment. Il peut ne s'agir que d'une seule personne, mais profondément impliquée. Parfois, il suffit d'un rien pour combler un fossé.

Je ne sais combien d'entre vous ont vu la pièce *Notre ville*, mais une des scènes les plus poignantes, c'est lorsque la petite Émilie meurt et va au cimetière où les dieux lui disent qu'elle peut revenir à la vie pendant une journée. Elle choisit de revenir en arrière et de revivre son douzième anniversaire. Elle descend l'escalier dans sa robe d'anniversaire, les boucles dansantes, si contente parce que c'est son anniversaire. Maman est si occupée à faire un gâteau pour elle qu'elle ne lève pas les yeux pour la voir. Papa entre, et il est tellement occupé dans ses livres et ses papiers à faire de l'argent qu'il est là, tout près d'elle, et qu'il ne la voit même pas. Son frère est dans sa propre scène et il ne se dérange pas pour voir autre chose. Émilie se retrouve finalement seule au centre de la scène, dans sa petite robe d'anniversaire. Elle dit: « S'il te plaît, n'importe qui, regarde-moi! » Elle va vers sa mère encore une fois et dit: « Maman, s'il te plaît, regarde-moi seulement une minute. » Mais personne ne la regarde; alors elle retourne vers les dieux et dit finalement quelque chose comme: « Emportez-moi. J'avais oublié comme c'est difficile d'être humain. Personne ne regarde plus personne. »

Aussi est-il temps que nous commencions à nous écouter les uns les autres. Nous avons besoin d'être entendus. J'aimais beaucoup cette idée de partager ses idées et ses expériences en classe. Je trouvais que c'était une époque où les gens savaient écouter. Mais, voyez-vous, on avait dit aux enseignants qu'ils devaient remettre leur cahier d'appel avant neuf heures cinq, aussi la période qui précédait nous était-elle allouée pour raconter nos expériences. Les enfants se levaient et on pouvait entendre: « Hier soir, mon papa a frappé ma maman avec le rouleau à pâte, il lui a brisé deux dents d'en avant, l'ambulance est venue et l'a amenée et elle est à l'hôpital. » Et la maîtresse levait les yeux en disant: « Très bien, au suivant! » Ou bien un enfant se levait et montrait un caillou à la maîtresse. « J'ai trouvé un caillou en venant à l'école aujourd'hui. » Et la maîtresse répondait: « Bien, Jeannot, mets-le sur la table de science. » Je me demande ce qui serait arrivé si elle avait pris le caillou et avait dit: « Laisse-moi voir ce caillou. Regardez-moi ça, les enfants, regardez la couleur de ce caillou. Touchez-le. Qu'est-ce qui fait un caillou? D'où vient ce caillou? Qu'est-ce qu'un caillou? Quelle sorte de caillou est-ce? » Je peux imaginer comment tout aurait pu s'arrêter pour la journée, et on aurait pu passer la journée à étudier ce caillou. Mais: « Mets-le sur la table de science... »

L'homme a besoin d'un sentiment de réussite. Nous en avons tous besoin. Nous devons être capables d'être reconnus pour avoir fait quelque chose de bien. Et on doit nous le faire remarquer. On doit venir à nous de temps en temps et nous donner une tape sur l'épaule en disant: « Fantastique! C'est bien. J'aime vraiment ça! » Ce serait un miracle si nous pouvions faire savoir aux autres ce qui est bien plutôt que de toujours faire ressortir ce qui est mauvais.

Et la personne capable d'amour a aussi besoin de liberté pour apprendre, pour changer et pour devenir. Thoreau disait une chose merveilleuse: « Les oiseaux ne chantent jamais dans les grottes. » Les gens non plus. Vous devez être libre pour apprendre. Il doit y avoir des gens qui s'intéressent à votre arbre, pas à l'arbre-sucette, et vous devez vous intéresser à leur arbre. « Montre-moi ton arbre. Montre-moi qui tu es et alors je saurai par où commencer. » Mais les oiseaux ne chantent jamais dans les grottes. Nous avons besoin d'être libres pour créer.

J'ai vécu récemment une expérience incroyable. Je parlais à un groupe d'enfants doués dans une école d'un district de Californie. Je leur parlais familièrement comme j'ai l'habitude de le faire et ils se sont assis là, tout à fait fascinés; les vibrations entre nous étaient incroyables. Après la session du matin, la direction de l'école m'a invité à déjeuner. À mon retour, les enfants m'ont dit: « Oh! docteur, il est arrivé une chose terrible. Vous rappelez-vous le garçon qui était assis juste en face de vous? » Je répondis: « Oh! oui, je ne l'oublierai jamais, il était tellement absorbé! » « Eh bien, il a été renvoyé de l'école pour quinze jours. » J'ai demandé: « Pourquoi? » Il me semble qu'au cours de mon exposé, j'avais parlé de la façon de connaître quelque chose, de vraiment la connaître, d'en faire pleinement l'expérience. Et j'avais dit: « Par exemple, si vous voulez vraiment connaître un arbre, vous devez grimper dans l'arbre, vous devez sentir l'arbre, vous asseoir sur ses branches, écouter le vent dans son feuillage. Ensuite vous pourrez dire: « Je connais cet arbre! » Et le garçon avait dit: « Je vais m'en souvenir, c'est ce que je ferai. » Aussi, pendant le déjeuner, l'enfant avait vu un arbre et avait grimpé dedans. L'assistant-directeur passait par là, il l'avait vu là-haut, l'avait fait descendre et l'avait mis à la porte de l'école.

J'ai dit: « Oh! il doit y avoir une erreur, il y a eu un malentendu. Je vais aller parler à l'assistant-directeur. » Je ne sais pas pourquoi, mais les assistants-directeurs sont toujours d'anciens professeurs d'éducation physique. Arrivé à son bureau où il était assis avec ses muscles protubérants, je lui ai dit: « Je suis le docteur Buscaglia. » Il m'a regardé, furieux: « Vous êtes l'homme qui vient sur le campus et qui dit aux enfants de grimper aux arbres? Vous êtes un danger! » J'ai répondu: « Bien, vous n'avez pas compris. Je pense qu'il y a eu un petit mal... » Il a crié: « Vous êtes un danger! Dire aux enfants de grimper aux arbres! Et s'ils tombent? Ils posent déjà assez de problèmes! » Eh bien, je n'ai pas pu m'en approcher, c'était impossible, je ne pouvais pas lui faire face. Je suis allé chez ce garçon qui dispose maintenant de deux semaines pour grimper aux arbres, je me suis assis avec lui et il a dit: « Je pense que ce que j'ai appris, c'est quand grimper aux arbres et quand ne pas le faire. Je suppose que j'ai seulement manqué de jugement, n'est-ce pas? » Il avait écouté, et il aurait à s'adapter à la situation, mais il grimperait encore aux arbres. Il y a des moyens de rencontrer les besoins de la société tout en continuant à faire son affaire. Il s'agit de savoir où, quand, comment.

Chacun a ses propres chemins et doit avoir la liberté de les suivre. Il y a un millier de chemins vers l'amour. Chacun trouvera sa propre voie s'il s'écoute. Ne laissez à personne vous imposer sa façon. Il existe un livre merveilleux intitulé *Les Enseignements d'un sorcier Yaqui*, écrit par l'anthropologue Carlos Castaneda. Il s'agit des Indiens Yaqui qu'il a étudiés. Un homme nommé Don Juan y dit: « Chaque chemin n'est qu'un chemin parmi un million. Tu dois toujours avoir à l'esprit qu'un chemin n'est qu'un chemin. Si tu crois que tu dois le suivre maintenant, tu n'es pas obligé de t'y astreindre en toutes circonstances. N'importe quel chemin n'est qu'un chemin. Il n'y a pas d'affront envers toi-même ou envers les autres à le laisser si c'est ce que ton coeur te dit de faire. Mais ta décision de rester sur le chemin ou de le quitter doit être libre de peur et d'ambition. Je t'avertis: examine chaque chemin de près et posément. Essaie-le autant de fois que tu le penses nécessaire. Puis pose-toi, et à toi seul, une question. C'est celle-ci: ce chemin a-t-il un coeur? Tous les chemins sont pareils. Ils ne conduisent nulle part. Ce sont des chemins qui passent à travers la broussaille ou qui vont dans la broussaille ou sous la broussaille. La seule question est de savoir si ce chemin a un coeur. Si oui, ce chemin est alors le bon. Sinon, il ne sert à rien. » Si votre chemin est l'amour, le but est sans importance, c'est dans le moyen que se trouve le coeur.

Vous ne pouvez être que « vrai » sur votre chemin. La chose la plus difficile au monde, c'est d'être ce que vous n'êtes pas. Plus vous essayez de vous écarter de vous-même, plus vous vous rapprochez de ce que vous êtes. Vous découvrirez que c'est un moyen facile d'être soi-même. La chose la plus facile au monde, c'est d'être vous. La chose la plus difficile, c'est d'être ce que les autres veulent que vous soyez. Ne les laissez pas vous mettre dans cette situation. Trouvez-« vous », trouvez qui vous êtes, soyez comme vous êtes. Vous pouvez alors vivre simplement. Vous pouvez utiliser toute l'énergie qu'il faut pour « tenir en respect les fantômes », selon l'expression d'Albert. Vous n'aurez plus de fantômes à écarter. Vous n'aurez plus à jouer de jeux. Balayez-les tous et dites-vous: « Me voici. Prenez-moi tel que je suis avec toutes mes fragilités, toute ma stupidité, etc. Et si vous ne pouvez pas, laissez-moi être. »

Maintenant, nous voilà prêts à partager un voyage en amour. Ce voyage ne se veut pas un chemin. C'est un partage. Prenez ce qui est bon pour vous. Mais j'aimerais d'abord vous livrer un petit propos philosophique percutant qui vient d'un homme nommé Zinker, du Gestalt Institute de Cleveland. Il l'a écrit en conclusion d'un article qu'il avait intitulé *Du savoir de la collectivité et de la révolution de la personnalité*. Il dit: « Si un homme dans la rue était à la poursuite de son moi, quelles sortes de pensées vont l'aider dans la transformation de son existence? Il découvrirait peut-être que son cerveau n'est pas encore mort, que son corps n'est pas desséché et que, peu importe où il se trouve pour l'instant, il est encore maître de sa destinée. Il peut modifier son destin en prenant la décision primordiale de changer sérieusement, en combattant sa peur et ses résistances insignifiantes au changement en apprenant davantage sur son esprit, en adoptant un comportement qui remplisse ses vrais besoins et des agissements concrets plutôt que des idées sur ceux-ci — je me sens tout à fait d'accord sur ce point, cessons de parler et commençons à agir —, en s'exerçant à voir, à entendre, à toucher et à ressentir comme jamais auparavant il n'a utilisé ces sens, en créant quelque chose de ses propres mains sans exiger la perfection, en pensant à ses comportements infructueux, en écoutant les paroles qu'il dit à sa femme, à ses enfants et à ses amis, en s'écoutant lui-même, en écoutant les paroles et en regardant les yeux de ceux qui lui parlent, en apprenant à respecter le processus de ses propres incidences créatrices et en ayant foi dans le fait qu'elles le conduiront quelque part bientôt. Il faut se rappeler toutefois qu'on n'accomplit aucun changement sans travailler fort et sans se salir les mains. Il n'y a pas de formule ni de livres pour apprendre à devenir. Je sais seulement ceci: j'existe, je suis, je suis ici, je deviens, je fais ma vie et personne d'autre ne la fait pour moi. Je dois faire face à mes propres défauts, erreurs et transgressions. Personne ne peut souffrir de mon non-être autant que moi, mais demain est un autre jour, et je dois décider de quitter mon lit et de vivre à nouveau. Et si j'échoue, je n'ai pas à me contenter de vous en blâmer, ou d'en blâmer la vie ou Dieu. »

# 1
# Apprendre l'amour

« Nous n'utilisons tous qu'une infime partie de notre capacité à vivre pleinement — dans toute l'acception des termes — l'amour, la sympathie, la création et l'audace. En conséquence, la réalisation de notre potentiel peut devenir l'aventure la plus passionnante de notre existence. »

— Herbert Otto

Au début du siècle, on a trouvé un enfant dans une forêt d'un petit village de France. L'enfant avait été abandonné et laissé pour mort par ses parents. Par quelque miracle, il a survécu dans la forêt, non comme un enfant, même si physiquement il était humain, mais plutôt comme un animal. Il marchait à quatre pattes, vivait dans un trou du sol, n'avait d'autre langage que le cri animal, n'établissait aucune relation intime, ne s'occupait de rien ni de personne, sauf de survivre.

Des cas semblables — celui de la jeune fille indienne de Kumala par exemple — ont été rapportés depuis le début des temps. Ils ont en commun le fait que, si l'homme est élevé comme un animal, il se comporte comme un animal, car l'homme « apprend » à être humain. Comme il apprend à être humain, de même il apprend à sentir comme un humain, à aimer comme un humain.

Dans d'innombrables études et articles, des psychologues, psychiatres, sociologues, anthropologues et pédagogues ont avancé que l'amour est une « réaction acquise, une émotion acquise ». Comment l'homme apprend à aimer semble être directement relié à sa capacité d'apprendre, aux gens qui l'entourent et qui lui enseigneront aussi bien qu'au genre, à l'étendue et au raffinement de sa culture.

La structure familiale, les habitudes de fréquentation, les lois matrimoniales, les tabous sexuels, tous ces facteurs varient selon l'origine de l'individu. Les moeurs et les coutumes concernant l'amour, la sexualité, le mariage et la famille ne sont pas les mêmes, par exemple, à Bali qu'à New York. À Bali, la structure familiale est fermée; à Manhattan, elle est relâchée et moins structurée. À Bali, la polygamie est légale; à Manhattan, la loi — du moins — l'interdit.

Ces faits dépendant de l'apprentissage du comportement semblent aller de soi lorsqu'on les énonce. Mais ils semblent avoir peu d'effet, sinon aucun, sur la majorité des gens si on les applique à l'amour. La plupart continuent à se comporter comme si l'amour ne s'apprenait pas mais comme s'il reposait endormi au fond de chaque être humain, dans l'attente de quelque mûrissement de la conscience mystique. Plusieurs attendent ce moment toute leur vie. Nous semblons refuser l'évidence selon laquelle nous passons presque tous notre vie à essayer de trouver l'amour, à essayer de le vivre, pour mourir sans l'avoir jamais vraiment découvert.

Il y a ceux qui écarteront l'amour comme étant une construction naïve et romantique de notre culture. D'autres en font de la poésie à l'eau de rose et vous diront que « l'amour, c'est tout », que « l'amour est le chant de l'oiseau et l'étincelle dans les yeux d'une jeune fille par un beau soir d'été ». D'autres encore seront dogmatiques et vous diront avec emphase que « Dieu est Amour ». Certains, selon leur expérience personnelle, vous diront: « L'amour est un attachement émotif puissant à un autre... », etc. Parfois, vous découvrirez des gens qui n'ont jamais pensé interroger l'amour, encore moins le définir, et qui s'objectent violemment à la seule idée d'y penser. Pour eux, on n'a pas à réfléchir sur l'amour, il doit être simplement vécu. Il est vrai qu'à un certain degré tous ces énoncés sont justes, mais il serait simpliste de croire qu'il y en a un plus valable que les autres ou que tout ce qui compte c'est d'aimer. Tout homme vit l'amour selon ses limites et ne semble pas faire le lien entre la confusion et la solitude qui en résultent et son manque de connaissance de l'amour.

S'il voulait connaître les automobiles, il se mettrait à étudier les automobiles, sans se poser de question. Si sa femme voulait devenir une fine cuisinière, elle étudierait certainement l'art culinaire, peut-être même irait-elle suivre un cours de cuisine. Mais il ne lui semble jamais aussi évident que, s'il veut vivre en amour, il doit consacrer au moins autant de temps à étudier l'amour qu'à apprendre la mécanique ou l'art culinaire. Aucun mécanicien, aucune cuisinière ne croirait jamais que c'est en « voulant » atteindre la connaissance dans son domaine qu'il a pu devenir un expert.

Pour traiter de l'amour, il serait bon de considérer les prémisses suivantes:

On ne peut donner ce qu'on ne possède pas.
    Pour donner de l'amour, on doit posséder de l'amour.

On ne peut enseigner ce qu'on ne comprend pas.
    Pour enseigner l'amour, on doit avoir une bonne compréhension de l'amour.

On ne peut connaître ce qu'on n'étudie pas.
    Pour étudier l'amour, on doit vivre dans l'amour.

On ne peut apprécier ce qu'on ne reconnaît pas.
    Pour reconnaître l'amour, on doit être réceptif à l'amour.

On ne peut avoir de doute sur ce en quoi on souhaite avoir confiance.

Pour avoir confiance en l'amour, on doit être convaincu de son existence.

On ne peut admettre ce à quoi on ne s'abandonne pas. Pour s'abandonner à l'amour, on doit être disponible à l'amour.

On ne peut vivre ce à quoi on ne se consacre pas. Pour se consacrer à l'amour, on doit croître sans arrêt dans l'amour.

L'enfant qui vient de naître ne sait rien de l'amour. Il est totalement démuni, ignorant, dépendant et vulnérable. S'il est laissé à lui-même, sans soins, jusqu'à l'âge de six ou sept ans, il est plus que probable qu'il mourra. Il lui faut plus de temps qu'à toute autre créature vivante pour acquérir l'indépendance. Et il semble que, à mesure que les sociétés se raffinent et deviennent plus complexes, le temps requis pour atteindre l'indépendance se soit prolongé à tel point que l'individu demeure dépendant, sinon matériellement, du moins émotivement, jusqu'à sa mort.

À mesure que l'enfant grandit, le monde qui l'environne, les gens qui évoluent dans son univers lui transmettent la signification de l'amour. Au départ, cela peut vouloir dire que, lorsqu'il a faim, qu'il est seul, qu'il éprouve une douleur ou un malaise, il pleure, et que ses pleurs amènent une réaction: quelqu'un le nourrira pour faire cesser les contractions de sa faim, quelqu'un le prendra dans ses bras pour qu'il ne se sente plus seul, quelqu'un soulagera ou éliminera la cause de sa souffrance pour qu'il se sente de nouveau à l'aise. Ce seront les premières interactions qui lui apprendront à s'identifier à un autre être. Il n'est pas encore capable de relier cette source de confort à un rôle humain, comme celui de mère, de père, de servante, de gouvernante, de grand-mère. Il est probable que si un loup — que l'on a déjà vu jouer un tel rôle

envers un enfant — pouvait satisfaire ses besoins fondamentaux, l'enfant développerait nécessairement un attachement au loup. Mais il ne s'agit pas encore là d'amour,
mais simplement d'un attachement relié au besoin. Peu
importe. C'est cette première réaction-interaction, à sens
unique, qui par la suite conduira au phénomène complexe,
aux facettes multiples, de l'amour.

À ce moment, l'attitude de l'objet dont l'enfant
dépend et auquel il réagit joue un rôle important. L'objet
aussi a des besoins. C'est selon ses besoins qu'il réagira à
l'enfant. La motivation qui pousse une mère à se lever la
nuit pour prendre soin de l'enfant ou à accomplir les mille
tâches requises d'une mère au vingtième siècle peut s'expliquer simplement par le sentiment de plénitude qu'elle
éprouve pour avoir créé la vie ou par le sourire de l'enfant
ou par la chaleur du petit corps contre le sien. Néanmoins,
elle a besoin de renforcement, sinon elle abandonnera
l'enfant. Elle réagira selon la façon dont ses actes rencon-
treront ses besoins. On a remarqué que les mères d'enfants
autistiques, de bébés sans réaction, auront tendance à les
rejeter, à moins les caresser et généralement à moins réagir
à leur enfants.

À mesure que l'enfant grandit, ainsi en est-il de son
univers et de ses attachements. Son univers d'amour
demeure limité, habituellement à sa famille: père, frères et
soeurs, mais principalement à la mère. Chaque membre de
la famille jouera à son tour un rôle en apprenant à l'enfant
quelque chose de l'amour. Il le fait selon sa façon de s'occuper de l'enfant, de jouer avec lui ou de lui parler, selon
sa façon de réagir à l'enfant. Aucun membre de la famille
sûrement n'a décidé délibérément d'« enseigner » l'amour
à l'enfant. L'amour est une émotion, c'est vrai. Mais c'est
aussi une « réaction » à une émotion, et par conséquent
une expression « active » de ce qui est ressenti. L'amour

ne s'apprend pas par osmose. En réalité, c'est un phénomène d'action-réaction.

Par contre, chaque membre de la famille ne peut transmettre que ce qu'il sait de l'amour. L'enfant manifestera
de plus en plus ce qu'il apprend. Ces éléments positifs qu'il
exprime et qui sont approuvés et renforcés par les sentiments et croyances de la famille seront adoptés comme
faisant partie de son comportement. Par contre, les manifestations que sa famille désapprouve, ne renforce pas,
voire même punit ne feront pas partie de son répertoire
comportemental. Par exemple, si la famille est une cellule
expansive où l'affection se traduit extérieurement, l'enfant
sera renforcé par une réaction positive lorsqu'il exprimera
son affection. L'enfant saute dans les bras de son père et
lui donne un gros baiser juteux sur la bouche; le père lui
retourne son baiser, joyeusement, cordialement, tendrement, en souriant, en approuvant. Il enseigne à l'enfant
que cette manifestation d'amour est bonne. Par contre,
l'enfant peut sauter spontanément sur son père qui est
peut-être aussi aimant, mais pour qui l'expression de
l'amour n'inclut pas de démonstration d'affection. Ce père
peut tenir tendrement l'enfant loin de lui et lui dire en souriant: « Les hommes ne s'embrassent pas l'un l'autre. » Ce
père a enseigné à son enfant que c'est bien d'aimer mais
qu'une manifestation extérieure d'amour n'est pas approuvée dans son environnement. Le philosophe français Jean-
Paul Sartre a écrit: « Longtemps avant notre naissance,
avant même notre conception, nos parents ont déterminé
qui nous serons. »

À côté de la famille immédiate, d'autres influences
enseignent l'amour. Leur effet peut être important. L'une
d'elles est la culture de l'individu. Dans plusieurs cas, c'est
cette culture qui a enseigné à la famille ses réactions à
l'amour. Aussi servira-t-elle à renforcer encore plus les
agissements de l'enfant.

Par exemple, un enfant français né et élevé dans une société chinoise par des parents chinois grandira comme un Chinois avec les jeux d'un enfant chinois, ses réactions, ses manières, ses réponses, ses préférences, son langage, ses aspirations et ses rêves.

D'autre part, le même enfant français élevé dans une culture chinoise par des parents français deviendra un enfant français dans une société chinoise, se raccrochant à ces aspects de la culture française qui lui auront été transmis par ses parents et les adaptant à mesure qu'il grandit afin de vivre dans une société chinoise. Il développera alors ces caractéristiques communes aux enfants français mais il devra aussi les adapter à la culture chinoise.

Personne ne peut être totalement dégagé des pressions et des influences culturelles. Pour devenir une personne « socialement acceptée », on doit toujours abandonner quelque chose de soi-même. Un Robinson Crusoé peut bien être complètement libre sur son île, mais le prix de sa liberté est l'isolement. Lorsque le second personnage, Vendredi, apparaît, Robinson a le choix. Ou bien il cohabite avec lui et le rend semblable à lui-même, ce qui suppose un changement de ses habitudes et une participation à un échange démocratique, ou bien il en fait son esclave. Cette deuxième décision exigera peu ou pas de changement dans la vie et dans la personnalité de Robinson, sauf qu'il devra avoir un oeil vigilant, constant, puissant sur Vendredi, son esclave.

En automne 1970, j'ai vécu une expérience sociale intéressante. J'adore l'automne, les feuilles, leurs couleurs, leur bruit quand on marche dedans. Pour cette raison, je les laisse s'amasser sur le chemin et sur le trottoir devant chez moi. Elle forment un tapis multicolore et craquent sous mes pieds. Un jour que j'étais chez moi avec quelques étudiants, je suis allé répondre à la porte. Un groupe de voisins venaient se plaindre de l'accumulation de ce qu'ils considéraient comme une « horreur » dans le voisinage. Il m'ont demandé de bien vouloir ramasser les feuilles et m'ont offert poliment de le faire pour moi. J'ai tout de suite accepté de répondre à leur requête, à la grande désillusion des étudiants qui croyaient que je me « défilais » et que j'aurais dû leur dire à quel étage de l'enfer de Dante ils pouvaient aller. Je leur ai expliqué que nous pouvions atteindre une solution mutuelle satisfaisante s'ils m'aidaient à ratisser les feuilles et à les mettre dans des paniers. Ils ont accepté à contre-cœur, en pestant contre une culture « contraignante » qui empiète sur les droits de l'individu. Les feuilles ont été finalement ramassées; j'ai pris les paniers et versé les feuilles sur le plancher de mon salon. Désormais, les voisins avaient un paysage acceptable à contempler et j'avais mon merveilleux univers automnal à faire craquer sous mes pieds tout mon saoul. (C'est si simple ensuite de balayer et de passer l'aspirateur.) J'avais cédé à la culture, car j'aime mes voisins et j'ai besoin d'eux, mais j'avais aussi répondu à mes propres besoins. J'adore les feuilles d'automne et j'en ai besoin.

---

Tout homme vit l'amour selon ses limites et ne semble pas faire le lien entre la confusion et la solitude qui en résultent et son manque de connaissance de l'amour.

---

Il est possible qu'en choisissant d'abandonner une liberté mineure, nous atteignions une liberté encore plus importante. (En ramassant les feuilles, j'ai encore des voisins qui m'aiment. Personne ne sait quand il aura besoin d'une tasse de farine...) La culture et la société ont alors le pouvoir, si nous choisissons d'en faire partie, d'affecter nos pensées, de limiter nos choix, de modeler notre comportement, de nous enseigner leur définition de l'adaptation et de nous montrer ce qu'elles entendent par amour.

La culture dans laquelle vous grandissez déterminera en quelque sorte votre façon d'apprendre à aimer.

La cellule familiale unique et la culture de l'individu peuvent à certains moments entrer en conflit. Mes parents et ma famille, une grande famille italienne chaleureuse, expansive, fortement émotive, avec des liens et des attachements personnels puissants, m'ont enseigné à manifester l'amour de façon évidente. Mais le fait qu'à l'école j'embrassais les enfants et les enseignants est vite apparu comme une attitude puérile, efféminée et pour le moins perturbante. Je me rappelle le trouble que j'ai ressenti lorsque la mère d'un copain de classe est venue à la maison expliquer à mes parents confus que je n'étais pas un compagnon convenable pour ses enfants, que j'étais trop « physique ». Mais le conflit s'est estompé lorsqu'on me l'a expliqué; j'ai compris que, chez nous ou dans un foyer du même type, c'était une façon correcte d'exprimer mon affection mais que, dans d'autres foyers, c'était différent. Je devais observer et réagir en conséquence en me servant de mon jugement. À cette époque, naturellement, j'étais convaincu qu'une poignée de main ou un sourire chaleureux ne pourrait jamais signifier autant pour moi qu'une chaude accolade ou un tendre baiser (et je crois que c'est encore vrai).

Jusqu'à maintenant, l'enfant est continuellement à la merci de ses enseignants — l'environnement où il vit et ces individus (personnes humaines) avec qui il entrera en contact. Ils ont la responsabilité de lui enseigner à aimer. Naturellement, ses parents seront ses enseignants les plus influents; ils lui transmettront uniquement le type d'amour qu'ils ont appris et seulement au degré où ils l'ont appris. Car eux aussi ont été à la merci de leurs parents et de leur culture. Les enseignants ne peuvent transmettre que ce qu'ils ont appris. Si l'amour qu'ils ont appris n'est pas mûr, s'il est confus, possessif, destructeur, exclusif, c'est celui-là qu'ils transmettront à leurs enfants. D'autre part, s'ils connaissent un amour qui est croissant, libre, mûr, c'est celui-là qu'ils enseigneront. L'enfant ne peut pas résister à ses enseignants. Il n'a pas, ou si peu, le pouvoir de le faire. S'il veut maintenir un certain niveau de bien-être, il doit accepter ce qui lui est offert, le plus souvent sans poser de questions. En fait, il ne doute guère car il a peu de connaissance et aucun point de comparaison. On lui donne son univers à la petite cuiller, on lui fournit les outils et les symboles qui l'aideront à répondre à ses exigences. On lui enseigne même quelles choses ont un sens ou quelles choses sont sans valeur; on lui dit quels sons écouter et ce qu'ils signifient. En d'autres termes, on lui apprend à être un type particulier d'humain capable d'amour. Pour être aimé en retour, il doit écouter, voir et réagir comme les autres. Cela semble simple, mais le prix que devra payer son individualité est énorme.

Le langage est le principal moyen par lequel nous transmettons la connaissance, les attitudes, les préjugés, les sentiments et ces aspects qui rendent une personnalité et une culture particulières. Le langage s'enseigne et s'apprend à travers la famille et la société. Tout enfant normal a l'équipement physique, biologique et mental pour apprendre n'importe quelle langue au monde. Il peut reproduire, comme un bébé, tous les sons de l'alphabet phonétique universel. Même si on ne le lui a pas formellement enseigné, vers l'âge de trois ou quatre ans, il parlera, intelligiblement, la langue de sa culture. Il apprendra le système de sa langue et les nuances et le ton de cette langue. Les mots qu'il utilisera et leur signification seront déterminés par les personnes de son univers immédiat qui les lui enseigneront. Naturellement, il est encore incapable de lire et il apprendra sa langue oralement. Il n'est pas conscient que la langue qu'il acquiert déterminera qui il sera, comment il verra le monde, comment il l'organisera et comment il présentera son univers aux autres.

Tous les mots ont un contenu intellectuel. Nous pouvons assez facilement définir, par exemple, une « table » ou une « maison ». Mais chaque mot a aussi un contenu émotif. Il est très différent de devoir définir une « maison » ou la « première maison » que vous pouvez vous rappeler. Nous connaissons tous le sens superficiel du mot « libre ». Mais si nous devions définir la liberté par rapport à nous-mêmes dans notre milieu actuel, nous serions bien en peine de le faire.

Au cours de son intéressant travail sur le langage et la conscience, Timothy Leary appelait les mots « la trace figée de la conscience externe ». Il expliquait que, chaque fois qu'un parent ou la société enseigne à un enfant un nouveau symbole, on lui transmet un contenu à la fois intellectuel et émotif correspondant à ce symbole. Le contenu est limité par les attitudes et les sentiments de ses parents et de la société. Ce processus commence trop tôt pour que l'enfant ait beaucoup à dire sur ce que les mots signifieront pour lui. Une fois « figés », les attitudes et les sentiments envers les objets ou la personne auxquels réfèrent les mots deviennent très stables, dans certains cas irréversibles. À travers le mot, on donne alors à l'enfant non seulement un contenu, mais une attitude. Ses attitudes en amour se forment ainsi. Une sorte de carte se dessine, poursuit Leary, qui est statique et sur laquelle prennent place la conscience et toutes les attitudes et apprentissages ultérieurs. La « carte » de l'enfant sera déterminée par la façon dont les symboles s'associent étroitement aux faits et dont ils sont reçus, assimilés, analysés et renforcés à travers l'expérience. Ainsi se fixera le langage nécessaire à l'établissement du comportement, des relations, des ac-

59

tions, des attitudes, de l'empathie, de la responsabilité, de la confiance, de l'affection, de la joie, de la réponse, en d'autres termes le langage de l'amour.

À ce moment-là, l'enfant est encore à la merci de ses enseignants. Il a été contraint, à cause de son manque d'expérience et de sa dépendance, de se fier à ses enseignants et d'accepter le monde d'amour qu'ils lui présentaient comme étant la réalité.

À peu près à la même époque, il commence à aller à l'école. Un grand espoir réside dans l'éducation. À travers l'éducation, on lui offre sa première évasion possible — des univers nouveaux et vastes à découvrir, pleins de définitions et d'attitudes différentes, exceptionnelles et excitantes par rapport à la vie et à l'amour. Mais il perd bientôt ses illusions. Au lieu d'être libre d'explorer son propre univers, il se trouve maintenant dans un nouvel environnement souvent moins flexible que son foyer. Charles Reich exprime ce fait dramatiquement dans *The Greening of America:* « Même si l'autorité scolaire est non coercitive selon la loi, l'école, elle, est néanmoins une expérience rendue obligatoire grâce au plein pouvoir de la loi, y compris des sanctions d'ordre criminel. (Le choix de fréquenter une école privée existe pour les familles qui peuvent se le permettre, mais ce n'est pas le choix des étudiants eux-mêmes et ce n'est possible que pour quelques-uns.) L'école n'a pas de barreaux ou de portes verrouillées comme une asile d'aliénés, mais l'étudiant n'est pas plus libre de la quitter qu'un prisonnier n'est libre de quitter le pénitencier. »

Ainsi emprisonné, l'enfant reçoit une éducation formelle qui croit que sa tâche principale est de transmettre « la connaissance accumulée du passé », habituellement au détriment du présent et de l'avenir. C'est du « remplissage » plutôt que de l'« alimentation ». Tout est enseigné, sauf, semble-t-il, ce qui est nécessaire à la croissance individuelle du moi, de la relation du moi avec les autres. L'enfant trouve que plusieurs de ses enseignants sont des individus sans vie, dépourvus d'enthousiasme, d'espoir et de joie. Eric Fromm disait: « Vivre est un processus de renaissance continu. La tragédie de la vie de la plupart d'entre nous, c'est que nous mourons avant d'être pleinement nés. » L'éducation moderne contribue peu à guider l'enfant de la mort à la renaissance.

Ni l'amour de soi — ce que les éducateurs appellent l'amour-propre —, ni l'amour des autres — responsabilité et amour envers son semblable — ne peuvent être enseignés dans notre système scolaire actuel. Les enseignants sont trop occupés à « gérer » pour pouvoir être « créateurs ». Comme disait Albert Einstein: « C'est rien de moins qu'un miracle que l'instruction de nos jours n'ait pas étouffé la sainte curiosité de la recherche. Car cette délicate petite plante repose principalement sur le besoin de liberté sans laquelle elle tombera en ruine et mourra sûrement. »

Ainsi l'individu, maintenant tout élevé, quitte nos écoles embrouillé, seul, aliéné, perdu, en colère, mais l'esprit plein de faits isolés et dénués de sens qui, mis ensemble, sont ridiculement appelés une éducation. Il ne sait ni qui il est, ni où il est ou comment il y est arrivé. Il n'a aucune idée d'où il va, de la manière d'y arriver ni de ce qu'il y fera quand il y sera. Il n'a aucune idée de ce qu'il a, de ce qu'il veut ni de la façon de le développer. Essentiellement, c'est une sorte de robot — désuet avant l'heure, vivant dans le passé, déconcerté par le présent, effrayé par l'avenir, tout à l'image des enseignants qui l'ont fait.

Nulle part en cours de route il n'a été directement exposé à l'amour comme phénomène d'apprentissage. Ce qu'il a appris de l'amour qu'il possède lui arrive indirectement, par chance, ou par expériences et erreurs. Sa plus grande découverte, et souvent son seul enseignement, lui est parvenue par les médias commerciaux qui ont toujours exploité l'amour à leurs propres fins. Des poètes frustrés, avec l'aide des grandes compagnies cinématographiques, ont créé l'Amant Romantique pour le marché mondial. Leur conception de l'amour ne va habituellement pas plus loin que le scénario suivant: un garçon rencontre une fille, la fille harcèle le garçon (ou vice versa), le garçon perd la fille, la fille et le garçon arrivent à mieux se connaître grâce à quelque coup magique du destin, le garçon gagne la fille et ils vivent « heureux à jamais ». Ceci avec des variantes.

Un cas classique est le succès des films de Rock Hudson et Doris Day. Rock rencontre Doris. Rock courtise Doris avec acharnement: cadeaux, fleurs, bons mots, chasses sauvages et effets spéciaux. Doris continue de se sauver des avances de Rock pendant six bobines de film. Finalement, Doris ne peut plus résister, elle cède et se donne à Rock. Rock porte Doris dans ses bras pour passer le seuil. Fondu.

Ce qu'il serait intéressant de savoir, c'est ce qui se passe après le fondu. Très certainement, n'importe quelle fille correspondant au personnage de Doris, qui se sauve d'un homme pendant six bobines, est frigide, et n'importe quel homme capable de supporter cette sorte de traitement est un impuissant. Ils se méritent l'un l'autre.

Et ce n'est qu'un exemple parmi tant d'autres qui créent pour nous la notion de ce qu'est l'amour.

La réclame pour désodorisant, les messages publicitaires pour la cigarette, les compagnies de produits de beauté renforcent cette notion insensée de l'amour. Vous êtes convaincu que l'amour, cela veut dire courir ensemble dans une prairie, allumer deux cigarettes dans le noir, ou mettre du désodorisant tous les jours. On vous donne l'idée que l'amour ne fait qu'« arriver », et habituellement tout d'un coup. Vous n'avez pas à travailler pour l'amour —

l'amour ne demande pas de professeur —, vous tombez tout simplement amoureux — si vous suivez les bonnes directives et si vous jouez le « jeu » correctement.

Je ne voudrais pas m'associer à un architecte qui n'aurait que de faibles notions de la construction ou à un courtier qui aurait une connaissance limitée du marché de la bourse. Mais nous formons ce que nous espérons être des relations amoureuses permanentes avec des gens qui savent à peine ce qu'est l'amour. Ils assimilent l'amour à la sexualité, à l'attirance, au besoin, à la sécurité, à la romance, à l'attention et à un millier de valeurs semblables. L'amour est certainement toutes ces choses sans être aucune d'elles. Un étudiant de la classe d'amour disait un jour: « Je souhaite qu'elle puisse m'aime davantage et avoir moins besoin de moi. »

Ainsi, pour la plupart, nous n'apprenons jamais à aimer. Nous jouons à aimer, nous imitons les amants, nous traitons l'amour comme un jeu. Inutile de se demander pourquoi tant de gens se meurent de solitude, se sentent angoissés et insatisfaits, même dans des relations apparemment étroites, et sont toujours à chercher ailleurs quelque chose de plus qu'il espèrent y trouver. « Est-ce que c'est tout? » dit la chanson.

Il y a quelque chose d'autre. Simplement ceci: le potentiel illimité d'amour renfermé en chacun attend d'être identifié, d'être développé, de croître.

Il n'est jamais trop tard pour apprendre quelque chose dont le potentiel est en vous. Si vous voulez apprendre à aimer, vous devez alors entreprendre la démarche en découvrant ce que c'est, en apprenant quelles qualités constituent une personne capable d'amour et comment développer ces qualités. Tout le monde a du potentiel pour l'amour. Mais un potentiel ne se réalise jamais sans effort. Cela ne veut pas dire qu'il faille souffrir. L'amour, tout particulièrement, s'apprend mieux dans l'émerveillement, dans la joie, dans la paix, dans la vie.

# 2
# Le besoin d'aimer
# et d'être aimé

« Les scientifiques découvrent en ce moment même que vivre comme si vivre et aimer étaient la même chose est le seul mode de vie des êtres humains parce qu'en fait, c'est le mode de vie qui est naturel à l'homme. »

— Ashley Montagu

Il est vrai qu'en dernière analyse, tout homme est seul. Si entouré qu'il soit ou quelle que soit sa célébrité, dans les moments les plus importants de sa vie, il se retrouve le plus souvent seul. Le moment de la naissance est un univers de « solitude », tout comme l'instant de la mort. Entre ces deux moments les plus significatifs, il y a la « solitude » des moments de douleur, de lutte en vue de changer, de prise de décision. Ce sont des moments où l'homme n'est face qu'à lui-même, car personne d'autre ne peut jamais vraiment comprendre ses larmes, ses efforts ou la motivation complexe de ses décisions. La plupart des hommes demeurent essentiellement étrangers même à ceux qui les aiment. Oreste était seul lorsqu'il a décidé de tuer Clytemnestre, sa mère, acte qui devait le libérer. Hamlet était seul quand il a pris la décision de venger la mort de son père, acte par lequel il se détruisait lui-même et aussi, peut-être, tous ceux qui l'entouraient. John Kennedy était seul lorsqu'il a pris la fameuse décision de la Baie des Cochons, décision qui aurait pu déclencher une autre guerre mondiale. Pour la plupart, nous ne connaîtrons jamais le poids d'une telle densité d'isolement, mais chaque fois que nous prenons une décision, si bénigne soit-elle, nous sommes bel et bien isolés.

Le concept d'isolement devient encore plus dévastateur lorsqu'on assimile « isolement » et « solitude ». Naturellement, ce sont deux choses radicalement différentes. On peut être isolé et ne jamais ressentir de solitude, et inversement on peut être seul même parmi les gens. Nous avons tous expérimenté divers degrés d'isolement. Ils n'ont pas toujours été effrayants. À certains moments, nous avons trouvé l'isolement non seulement nécessaire, mais stimulant, instructif et profitable. Nous avons eu besoin d'être seuls avec nous-mêmes au sens le plus profond. Nous avons eu besoin de temps pour réfléchir, pour mettre de l'ordre dans nos idées, pour trouver un sens à la confusion ou simplement pour nous délecter de nos rêves. Nous avons découvert que souvent nous faisions mieux ces choses seuls. Albert Schweitzer insistait là-dessus de façon bouleversante en disant que l'homme moderne est tellement fondu dans la masse qu'il se languit de solitude.

La plupart des hommes semblent capables de supporter la conscience d'être isolés si cela représente un défi spécial. Mais ils ne choisissent pas l'isolement comme état permanent. Par nature, l'homme est un être social. Il se trouve plus à l'aise dans son isolement quand il peut choisir d'être avec les autres. Il découvre que chaque relation profonde le rapproche de lui-même, que les autres augmentent sa force personnelle et que cette force lui permet en retour de mieux faire face à son isolement. Ainsi, l'homme s'efforce consciemment d'atteindre les autres et de les rapprocher de lui. Il fait cela dans la mesure où il en est capable et où il est accepté. Plus il peut s'associer à toutes choses, même à la mort, moins il a peur de l'isolement. C'est pour ces raisons que l'homme a inventé le mariage, la famille, les collectivités, plus récemment les communes et, certains le prétendent, même Dieu.

L'ensemble des faits semble démontrer qu'il existe en réalité un besoin fondamental de sentiment collectif, d'interaction humaine, d'amour. Il semble que, sans ces liens étroits avec d'autres êtres humains, un nouveau-né, par exemple, régresse dans son développement, perd l'intelligence, devient idiot et meurt. Cela peut lui arriver même dans un environnement physique parfait, avec une alimentation exceptionnelle et une hygiène exemplaire. Ces avantages ne semblent pas suffire à son développement physique et mental. Le taux de mortalité infantile dans des institutions bien équipées mais manquant de personnel a été épouvantable au cours de la dernière décennie. Pour les deux décennies précédentes, avant que soit reconnue l'importance de la réaction humaine au développement de l'enfant, les statistiques de mortalité infantile dans les institutions sont encore plus horribles. En 1915, par exemple, dans un congrès de l'American Pediatric Society, le docteur Henry Chapin rapportait une enquête menée auprès de dix institutions pédiatriques aux États-Unis, enquête révélant que chaque enfant de moins de deux ans était mort! D'autres rapports de l'époque étaient du même ordre.

Dans une étude portant sur 800 enfants canadiens, le docteur Griffith Banning rapportait qu'une situation où les parents étaient séparés, divorcés ou morts et d'où les sentiments d'amour et d'affection étaient absents causait de loin plus de dommages à la croissance des enfants que la maladie et était plus grave que tous les autres facteurs combinés.

Skeels, pédagogue et psychologue renommé, relatait récemment une recherche à long terme conduite auprès d'orphelins chez qui la seule variable était l'affection et l'amour humain. Un groupe de 12 enfants demeurait à l'orphelinat. Un autre groupe de 12 enfants était amené chaque jour dans une institution voisine où chaque enfant recevait l'amour et les soins d'une adolescente elle-même retardée mentale. Les découvertes de Skeels sont devenues un classique de la littérature. Après plus de vingt ans de recherche, il a découvert que, de ceux du groupe I, qui

69

étaient demeurés dans l'institution, sans amour personnel, tous étaient alors, sinon morts, du moins dans des institutions pour retardés ou pour malades mentaux. De ceux du groupe II, qui avaient reçu amour et attention, tous étaient auto-suffisants, la plupart avaient réussi des études secondaires et étaient heureux en ménage; il n'y avait qu'un divorce. Statistiques convaincantes, n'est-ce pas?

À New York, il y a une dizaine d'années, le docteur René Spitz a étudié des enfants qui avaient vécu dans deux institutions différentes, toutes deux matériellement adéquates. Les institutions différaient principalement dans leur approche concernant la quantité de contacts physiques et de soins personnels apportés aux enfants. Dans une institution, l'enfant était en contact chaque jour avec une personne humaine, habituellement sa mère. Dans l'autre, il n'y avait qu'une infirmière en charge de 8 à 12 enfants. Le docteur Spitz a étudié chaque enfant en termes de facteurs de développement, médicalement et psychologiquement. Il s'est intéressé au quotient de développement qui comprenait des aspects importants de la personnalité comme l'intelligence, la perception, la mémoire, la capacité d'imitation, etc. Toutes choses étant comparativement égales chez les enfants qui recevaient des soins et des contacts humains, le quotient de développement s'éleva de 101.5 à 105 et conserva une tendance à s'accroître.

Les enfants privés de soins personnels avaient commencé avec un quotient de développement moyen de 124 et, la seconde année de l'enquête, le quotient était tombé à un convaincant 45!

Il existe plusieurs autres études des docteurs Fritz Ridel, David Wineman et Karl Menninger qui tous indiquent une corrélation entre, d'une part, l'intérêt et les contacts humains et, d'autre part, la croissance et le développement. On peut trouver un rapport très intéressant et plus détaillé de ces études et de plusieurs autres du même ordre dans un article fascinant de Ashley Montagu paru dans le *Phi Delta Kappan* en mai 1970.

Il semble que le bébé ne connaisse pas ou ne comprenne pas les subtiles dynamiques de l'amour mais qu'il en ait déjà un si fort besoin que l'absence d'amour peut affecter sa croissance et son développement et même le conduire à la mort. Ce besoin ne change pas dans la vie adulte. Dans plusieurs cas, le besoin d'union et d'amour devient le désir principal et le but de la vie de l'individu. Il est reconnu que le manque d'amour est la cause majeure de graves névroses et même de psychoses dans la vie adulte.

Il y a quelques années,je participais les dimanches soir à une ligne ouverte dans un poste de radio populaire de Los Angeles. Nous n'étions que deux dans une petite cabine de verre pleine d'équipement électronique tandis qu'à l'extérieur, une seule opératrice s'occupait de six lignes téléphoniques. De sept à dix heures, nous parlions aux voix étranges de la ville. Les lignes n'étaient jamais libres, quelqu'un parlait pendant que les cinq autres attendaient. Le sujet était l'amour. Il était intéressant de constater que la majorité des appels traitaient de la solitude, de l'incapacité d'aimer les autres, de la confusion dans les relations interpersonnelles, de la peur d'aimer due à la peur d'être blessé. Chacune des centaines de personnes dont les appels arrivaient chaque soir voulait aimer mais reconnaissait ne pas savoir comment. Un jeune homme disait: « Je suis seul dans un petit appartement. Il y a toutes sortes de gens comme moi, chacun dans son propre appartement, on attend tous d'être avec quelqu'un, et personne ne sait comment briser la glace. Qu'est-ce qui ne va pas avec nous? »

En fait, la peur de la solitude et le manque d'amour sont souvent si grands chez nous que nous risquons de devenir esclaves de cette peur. Si c'est le cas, nous sommes prêts à falsifier notre moi véritable, à faire n'importe quoi pour rencontrer les besoins des autres, en espérant ainsi obtenir une relation intime pour nous-mêmes.

Une comédie musicale sur Broadway propose, comme seule motivation de l'amour et du mariage, le besoin de compagnie, pour le meilleur ou pour le pire. Elle dit que n'importe quoi est mieux que rien. Dans *Wild Palms*, William Faulkner écrivait: « Si je devais choisir entre rien et la souffrance, je choisirais la souffrance. » Ainsi font les hommes.

L'enfant se soumettra à des habitudes d'éducation déraisonnables pour conserver l'amour de ses parents. L'adolescent perdra son identité, changera son moi pour être accepté comme membre d'un groupe. Il s'habillera comme ses semblables, portera la même coiffure, écoutera la même musique, dansera les mêmes danses et adoptera les mêmes attitudes. Dans la vie adulte, nous estimons que la façon la plus facile d'être acceptés, c'est de ressembler à ceux par qui nous voulons être acceptés. Ainsi, nous nous conformons. Nous apprenons à jouer au bridge, nous lisons les mêmes best-sellers, nous offrons les mêmes réceptions, nous construisons les mêmes maisons, nous nous habillons selon les standards du groupe, et ainsi nous pouvons trouver le sens de la communauté et de la sécurité. Durant la phase des fréquentations et de l'amour romantique, nous nous transformerons le plus radicalement pour être approuvés et acceptés par la personne que nous aimons.

Lorsque nous vieillirons, de gré ou de force nous déménagerons dans des environnements artificiels pour personnes âgées afin d'échapper à un monde de jeunesse où nous semblerons inutiles ou indésirables, et d'entrer dans un monde où nous aurons encore l'impression de faire partie d'un groupe.

Nous avons beau le nier, à chaque étape de la vie, nous nous dirigeons vers les autres: enfants, vers nos parents; adolescents, vers nos camarades; jeunes adultes, vers des partenaires sexuels possibles; dans la force de l'âge, vers les communautés appropriées; et par la suite, jusqu'à notre mort, vers des communautés pour personnes âgées.

Nous avons besoin des autres. Nous avons besoin des autres pour aimer et pour être aimés. Il n'y a aucun doute: sans amour, nous aussi, comme le nourrisson laissé à lui-même, nous cesserons de grandir, de nous développer, pour choisir la démence et même la mort.

---

L'amour est comme un miroir.
Lorsque vous aimez quelqu'un,
vous devenez son miroir et il devient le vôtre...
Et en réfléchissant l'amour l'un de l'autre,
vous voyez l'infini.

---

# 3

# Une question de définition

« L'amour est bon et patient; l'amour
n'est pas envieux; il ne fanfaronne
pas, ne se rengorge pas; l'amour ne
fait rien d'inconvenant, ne cherche
pas son intérêt, ne s'irrite pas, ne tient
pas compte du mal; il ne se réjouit pas
de l'injustice, mais il met sa joie dans
la vérité. L'amour n'abandonne jamais; il excuse tout, croit tout, espère
tout, supporte tout. Bref, la foi, l'espérance et l'amour demeurent tous
trois, mais la plus grande vertu, c'est
l'amour. »

— Saint Paul,
Épître aux Corinthiens, I, 13

Dans une large mesure, le traitement de l'amour a été laissé aux poètes, aux philosophes et aux sages. Les scientifiques semblent éviter la question. Abraham Maslow affirmait: « Il est étonnant de voir combien les sciences empiriques ont peu à offrir sur la question de l'amour. Le silence des psychologues est particulièrement étrange. Parfois, c'est tout simplement affligeant ou irritant, comme dans le cas des manuels de psychologie et de sociologie où on ne reconnaît pas la pertinence du sujet. »

Dans son livre *Les Voies et le pouvoir de l'amour*, le sociologue renommé de Harvard, Pitirim Sorokin, explique pourquoi il croit que le scientifique a longtemps évité de traiter de l'amour. Il affirme: « Les esprits avisés nient catégoriquement le pouvoir de l'amour. Il nous apparaît comme quelque chose d'illusoire. Nous l'appelons illusion, opium de l'esprit et foutaise. Nous sommes opposés à toutes les théories qui tendent à démontrer le pouvoir de l'amour et des autres forces positives dans la détermination du comportement humain et de la personnalité: pouvoir d'influencer le cours de l'évolution biologique, sociale, mentale et morale, d'affecter l'orientation des événements historiques, de donner forme aux institutions sociales et à la culture. Dans les milieux avisés, ces théories semblent peu convaincantes, sans fondement scientifique, tissées de préjugés et de superstition. »

Ainsi, la science et les scientifiques demeurent silencieux sur la question. Certains la reconnaissent comme une réalité alors que d'autres la voient seulement comme une construction de l'esprit visant à donner un sens à une vie dénuée de sens. Certains condamnent l'amour comme étant bel et bien un état pathologique.

Il n'y a aucun doute, l'amour n'est pas un sujet facile à examiner. Peut-être pour être concerné faut-il « entrer là où les anges ont peur d'aller ». Mais il est ridicule qu'une force de vie si puissante demeure ignorée, négligée, condamnée par les spécialistes des sciences humaines.

Peut-être les craintes sont-elles fondées sur une base sémantique. Existe-t-il un mot plus galvaudé que l'amour? François Villon, poète français du XVe siècle, dénonçait le fait que constamment « nous réduisons le pauvre mot amour aux usages de la cuisine et du désir banal ». Quelqu'un peut « aimer » Dieu et « aimer » la tarte aux pommes ou un club de base-ball. Il peut considérer l'« amour » comme un sacrifice ou une dépendance. Il peut penser que l'« amour » n'existe que dans la relation homme-femme, s'il se réfère à l'« amour sexuel ». Il peut le considérer uniquement dans sa pureté la plus austère.

Comme individus, nous sommes obligés d'arriver à une certaine compréhension de l'amour avant de pouvoir avoir affaire à l'amour. Comme nous l'indiquions plus haut, ceci n'est pas une tâche facile et nous la négligeons trop souvent. La tâche peut même nous sembler impossible et sans commune mesure avec un concept si vaste. Pour le scientifique, il semble donc préférable de l'ignorer complètement.

L'amour est alors tombé aux mains du mystique qui le définit en termes d'extase, du poète qui le considère comme un état exaspéré de joie ou de désillusion, du philosophe qui tente de l'analyser à sa manière rationnelle, souvent obscure. L'amour, semble-t-il, n'entre parfaitement dans aucun de ces moules, car il peut être tout cela à la fois: extase, joie, désillusion, état rationnel et irrationnel.

L'amour est plusieurs choses, peut-être trop de choses pour qu'on puisse en offrir une définition absolue; toute tentative risque de conduire à une définition vague, nébuleuse et vaine.

Nous avons déjà dit que tout homme a appris et continue d'apprendre l'amour de la façon la plus personnelle et la plus singulière. Espérer de lui qu'il comprenne le mot tel qu'utilisé par un autre, sauf dans un sens général, c'est s'attendre au miracle. Si quelqu'un dit à un autre: « J'aime la tarte aux pommes », le message est clair: la tarte aux pommes éveille ses goûts gastronomiques. Mais si la même personne dit à l'autre: « Je t'aime », c'est une autre affaire. On aurait tendance à se demander: « Que veut-il dire par là? Aime-t-il mon corps? mon esprit? M'aime-t-il en ce moment précis? Pour toujours? Etc.»Un étudiant de la classe d'amour affirmait précisément ceci lorsqu'il disait: « La différence entre dire « Je vous aime » à un ami ou à un amant, c'est que si vous dites « je vous aime » à un ami, cet ami saura exactement ce que vous voulez dire. »

Il est désormais clair pour le lecteur que définir l'amour représente des problèmes énormes, parce qu'à mesure qu'on croît en amour, sa définition change et s'élargit. Mais certaines choses peuvent être dites de l'amour, certains éléments communs être examinés et aider à clarifier le sujet. Mon but en écrivant ce livre est de partager certaines idées concernant ces aspects de l'amour.

L'amour est une réaction émotive acquise. C'est une réponse à un ensemble de stimuli et de comportements acquis. Comme tout comportement acquis, l'amour est influencé par l'interaction de celui qui apprend avec son environnement, par sa capacité d'apprentissage et par le type et la force des renforcements présents; c'est-à-dire tout dépend qui répond, comment et à quel degré, à l'expression de son amour.

L'amour est une interaction dynamique vécue à chaque seconde de votre vie, toute votre vie, donc partout et à tout moment. Pour cette raison, je n'aime pas l'expression « tomber » amoureux. Je ne crois pas qu'on tombe « en » amour ou « hors de » l'amour. On apprend à réagir d'une façon particulière, à un certain degré, à un stimulus spécifique. Cette réaction sera le signe visible de l'amour. On ne possède pas plus d'amour pour « tomber dans » ou « hors de » que ce qu'on possède et qu'on manifeste à n'importe quel moment de sa vie. Il semble plus exact de dire que quelqu'un « grandit » en amour. Plus il apprend, plus il a de chances de changer ses réactions comportementales et ainsi d'élargir sa capacité d'aimer. Ou bien l'homme croît constamment en amour ou bien il meurt. Donc, ses actions aussi bien que ses réactions changeront tout au long de sa vie.

Si quelqu'un veut connaître l'amour, il doit vivre l'amour, en action. Penser ou lire sur l'amour, ou tenir de profonds discours sur l'amour, peut être très bien mais, en dernière analyse, cela offre peu ou n'offre pas de réponses réelles. Les pensées, les lectures et exposés sur l'amour n'ont de valeur que s'ils proposent des questions servant de base à l'action. Quelqu'un n'apprendra l'amour qu'avec des intuitions nouvelles, avec chaque nouvelle parcelle de connaissance qu'il manifeste et à laquelle il réagit; sinon sa connaissance est sans valeur. Comme l'affirme Rilke avec tant d'acuité, il doit simplement « se laisser induire amoureusement jusqu'à la réponse ». En d'autres termes, on vit les questions. Mais pour vivre les questions, il est logique de se les poser.

En vivant les questions, l'individu apprendra plusieurs vérités sur l'amour, entre autres que l'amour n'est pas une chose. Ce n'est pas une marchandise qui peut se troquer, se vendre ou s'acheter, de même qu'on ne peut pas l'imposer à quelqu'un ou l'obtenir de force. L'amour ne peut être que volontairement offert. Si un individu choisit de le partager avec l'ensemble des hommes, il est libre de le faire. S'il choisit de le réserver à seulement quelques-uns, il peut aussi le faire. Son amour est celui qu'il donne.

Il y a des gens qui sont achetables, corps et esprit, au nom de l'amour. Mais celui qui croit que l'amour peut vraiment s'acheter s'illusionne. Il peut acheter le corps d'un autre, son temps, ses biens terrestres, mais il ne pourra jamais acheter son amour. Quelqu'un peut faire semblant d'aimer contre de l'argent. Il y a des gens qui ont pratiqué cet art à un point tel qu'il est impossible de déceler la supercherie. Mais « jouer » l'amour n'est pas facile. Le coût est élevé et n'en vaut jamais la peine.

L'amour ne peut pas être emprisonné ou attaché au mur. L'amour ne fait que glisser à travers les chaînes. Si l'amour veut changer de cours, il le fait; et tous les gardiens, les prisons, les chaînes et obstacles au monde ne sont pas assez forts pour le retenir une seconde. Si un être humain cesse de vouloir croître en amour avec un autre, l'autre peut jouer plusieurs rôles pour le retenir. Il peut devenir méchant et le menacer; il peut devenir généreux et le combler de cadeaux; il peut devenir victime et rendre l'autre coupable; il peut devenir rusé et le piéger pour qu'il reste; ou il peut changer son propre « moi » pour rencontrer les besoins de l'autre. Mais quoi qu'il fasse, l'amour de l'autre s'est envolé et il ne recevra en retour de tous ses efforts qu'un corps vide dénué d'amour, entier mais inerte. Aussi le couronnement de ses efforts sera de vivre hors de lui en maintenant désespérément son amour et en le donnant à une forme humaine sans vie et sans amour. Même si cela peut sembler révoltant, ceci est une chose courante, souvent pratiquée en vue de la sécurité, de la renommée ou de la fortune. Les dynamiques deviennent encore plus grotesques quand quelqu'un considère que cette relation cul-de-sac perd toute possibilité de croissance amoureuse continue. L'amour a toujours les bras ouverts. Les bras ouverts, vous permettez à l'amour d'aller et venir à son gré, librement, car il le fera de toute façon. Si vous fermez les bras sur l'amour, vous découvrirez que vous ne retenez plus que vous-même.

D'un certain type et à un certain degré, l'amour existe chez tous les êtres civilisés. La base de l'amour, c'est-à-dire le potentiel de croître en amour, est aussi présente dans tout homme. L'amour est donc le processus de « construire » sur ce qui est déjà là. L'amour n'est jamais complet dans personne. Il y a toujours de la place pour la croissance. À tout moment de la vie de quelqu'un, son amour existe à un degré différent de développement, et en devenir. Il est fou de croire que l'amour de quelqu'un soit complètement réalisé ou actualisé à jamais. En fait, l'amour parfait est rare. Il est à se demander si personne y est jamais parvenu. Cela ne veut pas dire que c'est impossible ou que ce n'est pas un but à viser sincèrement. En fait, c'est notre plus grand défi, car *l'amour et le moi sont un et la découverte de l'un et l'autre est la réalisation des deux.*

Celui qui apprend percevra aussi qu'il n'y a pas de « sortes » d'amour. L'amour est d'une seule sorte. L'amour est l'amour. Chacun connaît, exprime et manifeste ce qu'il sait de l'amour. Il le fait à chaque étape de sa croissance. C'est comme l'enfant. À sa naissance, il sait peu de chose de l'amour et tous les objets sont aimés également. À mesure qu'il grandit dans l'amour, il différencie grâce à sa connaissance croissante et il choisit des objets réceptifs sur lesquels vérifier son amour. Il aime son pablum; il aime aussi sa mère. Sa mère est plus affectueuse et satisfaisante que son pablum, on l'espère bien. Ainsi, il grandit plus profondément en amour avec sa mère. Il y a des degrés dans l'amour mais il n'y a qu'une sorte d'amour.

Il découvrira que l'amour, c'est la confiance. L'expérience semble nous convaincre que seuls les fous ont confiance, que seuls les fous croient en tout et acceptent tout. Si c'est vrai, l'amour est alors la plus grande folie, car s'il n'est pas basé sur la confiance, la croyance et l'acceptation, ce n'est pas de l'amour. Eric Fromm affirmait: « Aimer veut dire s'engager sans garantie, se donner complètement dans l'espoir que notre amour produira de l'amour dans la personne aimée. L'amour est un acte de foi et celui qui est de peu de foi est aussi de peu d'amour. » L'amour parfait serait celui qui donne tout et n'attend rien. Naturellement, il sera content de prendre tout ce qui est offert: plus il y en a, mieux c'est. Mais il ne demanderait rien. Car si quelqu'un n'attend rien et ne demande rien, il ne peut jamais être déçu ou désillusionné. Ce n'est que lorsque l'amour demande qu'il peut conduire à la souffrance.

---

On ne tombe pas « en » amour ou
« hors de » l'amour.
On grandit en amour.

---

---

L'amour a toujours les bras ouverts.
Si vous fermez vos bras sur l'amour,
vous découvrirez que vous ne retenez plus
que vous-même.

---

Cet énoncé semble très simple et fondamental mais en pratique il est difficile à réaliser. Peu d'entre nous sont assez forts, assez permissifs, assez confiants pour donner sans rien attendre en retour. Ce n'est pas étonnant puisqu'on nous enseigne depuis l'enfance à attendre une récompense pour tout effort. Si nous travaillons, nous demandons un salaire convenable, sinon nous abandonnons. Si nous cultivons des plantes et des arbres, nous attendons des fleurs et des fruits, sinon nous les abattons. Si nous investissons du temps dans une tâche, nous attendons satisfaction et louange, sinon nous refusons de la refaire. En fait, une récompense évidente est souvent la seule motivation de l'apprentissage.

Mais il n'en est pas ainsi de l'amour. L'amour n'est amour que s'il est donné sans attente. Par exemple, vous ne pouvez pas imposer à quelqu'un que vous aimez qu'il vous aime en retour. L'idée même est grotesque; pourtant, inconsciemment, c'est ainsi que la plupart vivent. Si vous aimez vraiment, vous n'avez alors pas d'autre choix que de croire, d'avoir confiance, d'accepter et d'espérer que votre amour vous soit retourné. Mais il n'y a jamais d'assurance, jamais de garantie. Si quelqu'un attend pour aimer d'être certain de recevoir un amour égal en retour, il peut attendre toute sa vie. Cependant, s'il aime sans aucune attente, il sera sûrement déçu, car il est peu probable que la plupart des gens puissent rencontrer tous ses besoins même si leur amour pour lui est grand.

On aime parce qu'on le veut, parce qu'on en retire de la joie, parce qu'on sait que la découverte et la croissance de soi en dépendent. Celui qui aime sait que la seule assurance dont il dispose réside en lui. S'il a confiance et s'il croit en lui-même, il aura confiance et il croira en les autres. Il est avide d'accepter tout ce qu'ils sont capables de donner mais il ne peut être certain que de lui et il ne répond de personne que de lui.

Le bouddhiste dit que vous êtes sur la bonne voie de la connaissance quand vous « cessez de désirer ». Peut-être ne pouvons-nous jamais atteindre cet enviable état de paix, mais dans la mesure où nous pouvons vivre sans demander ou attendre, nous pouvons ainsi être libres d'être désillusionnés et déçus. Attendre quelque chose de quelqu'un parce que c'est notre droit, c'est courtiser le malheur. Les autres ne veulent et ne peuvent donner que ce qu'ils sont capables de donner, pas ce que vous désirez qu'ils donnent. Lorsque vous cessez de mettre des conditions à votre amour, vous avez fait un pas de géant dans l'apprentissage de l'amour.

Celui qui recherche l'amour découvrira que l'amour est patient. Celui qui aime sait que toute personne peut enrichir sa connaissance de l'amour et s'en rapprocher. Il sait que l'expérience et la connaissance que les gens ont de l'amour diffèrent. Il est passionné par l'idée qu'une relation est un partage, une révélation mutuelle de la connaissance de l'amour. Il sait que tout homme a une capacité illimitée d'aimer mais que ce potentiel se réalisera différemment selon chacun. Chaque personne croîtra à son rythme, à sa façon, en son temps, par la voie de son moi particulier. Il est donc inutile d'admonester, de juger, de prédire, d'exiger ou de prendre pour acquit. L'amour doit être patient. L'amour attend. Cela ne veut pas dire que l'amour, si nécessaire, s'assoit passivement à jamais, attendant que la personne croisse. L'amour est actif, il n'est pas passif. Il est continuellement engagé dans le processus d'ouverture de voies nouvelles où sont admises les idées et les questions nouvelles. Il fait partager la connaissance et offre un terrain d'expérience pour ce qui est appris. Il dresse une table attrayante, mais il ne peut forcer personne à manger. Il laisse à chacun la liberté de choisir et de rejeter à son gré. L'amour s'offre comme un festin continu où s'alimenter, sachant que plus on goûte, plus on

ingère, et plus on digère, plus les énergies grandissent:
plus on mangera — et ce ne sera jamais trop —, plus
l'amour aura à offrir quand d'autres viendront à son festin.
Le potentiel de l'amour est sans limite.

L'amour a une façon différente de se révéler dans
chacun. Il n'est pas réaliste d'attendre des autres qu'ils
aiment à votre manière en ce moment. Vous seul êtes
vous-même et pouvez donc seul répondre à l'amour, donner l'amour et le ressentir comme vous le faites. L'aventure réside dans la découverte de l'amour qui est en vous
et dans les autres. En regardant l'amour se révéler dans
les autres, révélation douce et merveilleuse, déploiement
aimable et réservé.

L'amour n'a pas peur de sentir et de crier pour s'exprimer. Les démonstrations émotives varient selon les cultures. Dans certaines cultures, on s'attend à ce que les gens
de la famille pleurent aux funérailles. Les amis de la famille seraient surpris et choqués s'il en était autrement.
Dans d'autres cultures, l'attitude calme et austère devant
la mort est celle qui est hautement approuvée et on sour-
cillerait sûrement devant une manifestation de l'émotion.
Par exemple, en Amérique on enseigne à la plupart des
enfants à « contrôler leurs émotions », à intérioriser leurs
sentiments. Être démonstratif, rire à gorge déployée ou
pleurer amèrement sont des signes d'immaturité. Seuls les
bébés pleurent.

Il n'est alors pas étonnant que l'adulte trouve difficile
d'exprimer des sentiments forts comme l'amour. Il lui est
difficile de verbaliser ce qu'il ressent; il n'a pas les mots
ou l'habitude. Par exemple, les amoureux latins ont la
réputation d'être capables de chanter la sérénade adéquate à chaque nouvel amour. Ce fait se révèle souvent
dans la charge émotive des mots de leur langage. Les Français, les Italiens, les Espagnols sont des exemples de ce
type de langage « romantique ». Aux mots s'ajoutent

souvent une animation et une gesticulation qui amplifient leur contenu émotif. On peut souvent comprendre ces gens simplement en les observant sans distinguer un seul mot.

Les émotions fortes existent chez tout le monde. Si nous n'éprouvions pas de sentiments, nous ne serions pas humains. Il n'est pas naturel à l'homme de cacher ce qu'il ressent, même s'il peut le faire lorsqu'on le lui enseigne. L'amour apprend à l'homme à manifester ce qu'il ressent. L'amour ne présuppose jamais que cela peut se discerner ou se percevoir sans expression.

Chaque fois que je retourne chez mes parents en Italie, il n'y a aucun doute quant à leur amour si chaleureusement et si tendrement exprimé. Je sens instantanément l'excitation et la joie que leur donne ma présence. Je suis touché par leurs larmes de bonheur, leurs exclamations d'amour, leurs caresses, leurs embrassades, toutes des manifestations de leurs sentiments. Je trouve cela rafraîchissant et délicieux. J'ai été élevé dans un pareil environnement. Ma famille manifestait toujours ce qu'elle sentait et l'exprimait ouvertement. Mais il est compréhensible que, pour ceux qui ne sont pas habitués à de telles démonstrations de sentiments, cette expérience puisse être tout à fait effrayante et même déprimante.

---

## L'amour s'offre comme un festin continu où s'alimenter.

---

Les larmes sont en voie de disparition dans notre culture. Assurément, un homme ne pleure pas, et même une femme est considérée comme « émotive » si elle sanglote. Aussi devons-nous tous pleurer seuls ou risquer de passer pour « névrotiques » ou « bizarres ».

Récemment, en voyant *L'Homme de la Manche*, comédie musicale tirée du *Don Quichotte* de Cervantes, je me suis trouvé saisi par les épreuves du pauvre chevalier incompris et maltraité. Ce n'était pas difficile de faire le lien avec son besoin de célébrer la beauté, le bien et l'amour dans un monde où ces valeurs n'ont plus cours. Durant la scène de sa mort, Don Quichotte, entouré de ceux qu'il a aimés, se lève, saisit sa lance et est à nouveau prêt à charger contre les moulins à vent pour l'amour de sa Dulcinée. La scène m'a beaucoup ému; les larmes coulaient librement sur mes joues. Une femme assise près de moi a donné un coup de coude à son mari et a chuchoté: « Regarde, chéri, cet homme pleure! » En entendant cela, j'ai sorti mon mouchoir et je me suis mouché bruyamment tout en continuant de sangloter. Elle n'arrivait pas à croire qu'un homme mûr puisse pleurer et je suis certain qu'elle n'a aucune idée de la fin du spectacle. L'amour n'a pas peur de ressentir.

Comme personnes humaines, nous sommes encore plus isolés physiquement. Dans toute l'Europe et en Asie, les femmes aussi bien que les hommes s'embrassent, s'étreignent et marchent main dans la main, bras dessus bras dessous. Il y a certaines villes aux États-Unis où ces actes seraient considérés comme une infraction et où des hommes et des femmes agissant ainsi seraient mis en prison. Les contacts physiques sont toujours permis aux femmes mais strictement interdits aux hommes, depuis leur enfance, même si ces contacts représentent une forme de communication souvent beaucoup plus efficace que les mots ou toute autre expression. Poser un bras sur celui de quelqu'un ou sur son épaule est un moyen de dire « Je te vois », « Je sens avec toi », « Je suis concerné ». J'ai vu des gens pleurer pendant que les autres les regardaient, l'air embarrassé. On offre peut-être un mouchoir, mais rarement une étreinte.

Les bébés et les chiens sont des visiteurs fréquents de la classe d'amour. Une jeune femme faisait cette observation: « C'est drôle, personne n'hésite à toucher un bébé ou à caresser un chien étrangers. Et ici, je m'assois parfois en me languissant pour que quelqu'un me touche et ça n'arrive jamais. » Après quoi elle se promena à quatre pattes parmi les étudiants, et, inutile de le dire, sa requête fut satisfaite. Elle en conclut qu'il était peut-être nécessaire que l'être humain laisse connaître ses besoins, même si cela semble honteux. « Je suppose, disait-elle, que nous n'osons pas laisser entendre aux autres que nous aimons tous être touchés de peur que les gens nous interprètent mal. Aussi restons-nous assis dans la solitude et l'isolement physique. » L'amour a besoin de s'exprimer physiquement.

L'amour vit l'instant présent. La plupart des gens ou bien vivent dans le passé ou bien travaillent activement pour demain. Ils regardent en arrière dans « le bon vieux temps » avec émotion et ils essaient de trouver dans le présent la sécurité du passé. Ils découvrent vite qu'ils n'avancent pas et ils ne se rendent pas compte que, dans notre monde rapide, ne pas avancer c'est reculer, et reculer c'est mourir. Le passé est mort, il n'est pas la réalité. Il n'a de valeur que dans sa façon d'affecter l'instant présent.

D'autres vivent en fonction du lendemain. Ils amassent des fortunes et les remisent. Ils se privent chaque jour pour acheter de gros contrats d'assurance. Ils dirigent toute leur vie vers quelque avenir nébuleux ou vers la mort elle-même. Ils sont tellement préoccupés par le lendemain qu'ils en ont perdu le but même de la vie. Ils oublient qu'il n'existe pas de but permanent. Lorsqu'ils ont un but et qu'ils l'atteignent, ils s'empressent de le remplacer par un autre. Le lendemain qu'ils planifient n'arrive jamais. Demain n'arrive qu'avec la mort. La vie n'est pas un but, c'est un processus, c'est un cheminement et non une destination. Thoreau disait: « Ciel, se retrouver mort seulement pour découvrir qu'on n'a jamais même existé. » Il en est ainsi pour celui qui vit uniquement dans l'irréel de sorte que le passé est toujours mort et que l'avenir n'arrive jamais.

Il y a seulement l'instant présent. Le « maintenant ». Seulement ce que nous vivons en ce moment même est réel. Cela ne veut pas dire vivre pour le moment. Cela veut dire vivre le moment. C'est une chose très différente. Il y a une valeur dans le passé. Après tout, il nous a conduits là où nous sommes. Il y a une valeur dans l'avenir, mais elle repose dans le rêve, car qui peut prédire l'avenir? Seul le moment présent a une valeur véritable, car il est ici. L'amour sait cela — il ne regarde pas en arrière —, il expérimente le passé et en tire le meilleur. Il ne regarde pas en avant. Il sait que le rêve de demain demeure ouvert et peut ne jamais se produire. L'amour, c'est maintenant! Ce n'est que dans le présent que l'amour est la réalité. L'amour a un sens seulement s'il est vécu dans le présent. Si quelqu'un regarde une fleur, il fait un avec la fleur; s'il lit, il est totalement absorbé; s'il écoute de la musique, il est dans le son; s'il parle ou écoute un autre, il est l'autre.

Il existe une vieille fable bouddhique qui raconte l'histoire d'un moine qui échappe à un ours affamé. Il court vers une falaise et il doit sauter s'il ne veut pas être dévoré. En tombant, il attrape une petite branche qui sort du roc. Il regarde en bas et voit un tigre affamé n'attendant que sa chute. À ce moment-là, de chaque côté de la falaise débouchent deux rongeurs affamés qui commencent aussitôt à s'attaquer au bout de bois auquel sa vie est accrochée. Voici où il en est: un ours affamé au-dessus, un tigre affamé en bas, et des rongeurs affamés de chaque côté. Regardant au-delà des rongeurs, il voit un fraisier sauvage et une fraise géante, rouge, mûre et juteuse, prête à être mangée. Il la cueille, la met en bouche et la mange en s'exclamant:

« Délicieuse! » L'amour se délecte et croît dans le moment et dans la joie de l'instant présent.

Ainsi, nous trouvons l'amour dans plusieurs choses, même si nous savons que ce n'est pas une chose dans le sens où il ne peut pas être acheté, vendu, pesé ou mesuré. L'amour ne peut être que donné, exprimé librement. Il ne peut être ni capturé ni retenu car on ne peut ni l'attacher ni le retenir. Il est en chacun et en chaque chose à des degrés divers et il attend de se réaliser. Il n'est pas séparé du moi. L'amour et le moi ne font qu'un. Il n'y a pas de sortes d'amour, l'amour est l'amour; il n'y a que des degrés en amour. L'amour est confiance, acceptation et croyance, sans garantie. L'amour est patient et sait attendre, mais d'une attente active, non d'une attente passive. Car il s'offre continuellement dans une révélation mutuelle, un partage mutuel. L'amour est spontané et aspire à s'exprimer dans la joie, la beauté, la vérité et même les larmes. L'amour vit l'instant présent; il n'est ni perdu dans le passé ni abîmé de désir pour le lendemain. L'amour, c'est Maintenant!

---

**L'amour n'a de sens que s'il est vécu
dans le présent.**

---

# 4

# L'amour sans âge

« Celui qui a bu boira, celui qui a rêvé
rêvera encore. Celui-là ne cèdera pas
ces abîmes torturants, ce bruit de
puits sans fond, ce seuil du défendu,
cet effort pour saisir l'impalpable et
voir l'invisible; il y revient, il s'y
penche, il fait un pas en avant, et puis
deux; et c'est ainsi qu'il est celui qui
pénètre dans l'impénétrable et qu'il
est celui qui découvre le soulagement
infini d'une méditation sans limite. »

— Victor Hugo


« Là où il n'y a pas de volonté,
il n'y a pas d'amour. »

— Gandhi

L'homme peut apprendre, réapprendre ou désapprendre jusqu'à la mort. Il y a toujours quelque chose de plus à découvrir. Peu importe le degré de connaissance qu'il a déjà atteint, l'homme ne peut jamais tout savoir à propos de quoi que ce soit. C'est pour cette raison que les sémanticiens prétendent que toutes les phrases devraient se terminer par «et... ».

Le changement est le résultat final de tout vrai apprentissage... Le changement comporte trois éléments: premièrement, une insatisfaction de soi-même — un vide ou un besoin senti; deuxièmement, une décision de changer — pour remplir le vide ou le besoin; et troisièmement, une implication consciente dans le processus de croissance et de changement — l'acte volontaire d'effectuer le changement, de faire quelque chose.

L'homme est toujours à exprimer sa solitude, son désespoir, sa frustration, son découragement. Dans sa vie quotidienne, il trouve difficile de comprendre les autres, de partager et d'avoir des rapports avec eux. Il sent qu'il doit se mesurer à une masse confuse d'envie, de peur, d'angoisse et de haine. Il trouve constamment des raisons à son malheur chez ceux qui l'entourent et dans son environnement extérieur: «Le système politique est corrompu et le sera toujours. » « Les guerres sont inévitables. » « L'homme est essentiellement mauvais et ne peut pas changer. » « La justice, la paix et la sécurité ne sont que pour les riches; l'homme ordinaire n'est que la victime du système. » « L'éducation n'a aucun sens pour l'avenir, elle est sclérosée dans sa propre futilité. » « L'existence est un cul-de-sac où la mort se tient armée d'un couteau sanglant. Il n'y a pas de détour ni d'issue possibles. »

L'homme se voit sans défense, dans une situation désespérée. On a l'impression qu'il se complaît à rechercher la mélancolie. Il apparaît plus disposé à accepter le négatif que le positif, toujours plus prêt à douter qu'à avoir confiance. Il vit continuellement dans le souci de l'avenir et dans la désillusion du passé. Il est rare qu'il se voie lui-même comme la source de son propre malheur. Il se rebiffe à l'idée qu'il peut aussi choisir le bonheur. En fait, l'homme est peut-être la seule créature vivante qui ait suffisamment de volonté et d'intelligence pour choisir le bonheur. Comme il est triste de le voir si souvent choisir le désespoir! Un optimiste apparaît comme un imbécile. Un amoureux est vu comme un romantique sans défense. Un bon vivant est traité de bon à rien. L'homme a le sentiment que s'il est joyeux, il est certain d'en subir demain le châtiment. Le vieil adage qui dit « Tout ce qu'il y a de bon dans le monde est ou bien illégal, ou bien immoral, ou bien engraissant » en est une preuve. La morale chrétienne convainc l'homme qu'il n'est pas sur terre pour connaître la joie et la satisfaction, mais plutôt pour travailler et se rendre douloureusement jusqu'à la paix éternelle avec Dieu; c'en est une autre illustration. L'homme doute rarement du fait que la laideur et le mal se partagent le monde. Mais il est beaucoup moins prompt à se rendre à l'évidence que la vie offre aussi la beauté illimitée, la capacité de jouissance ainsi que d'innombrables occasions de plaisir.

L'homme devient insatisfait de lui-même et fait reposer le blâme sur les aspects inchangeables d'un monde hostile, il se complaît dans ce désespoir qu'il se crée lui-même. De cette façon, il abandonne pour lui-même toute responsabilité.

Je n'en suis pas à suggérer qu'il n'y a pas de mal dans le monde, qu'il n'y a pas de peur, ni de corruption, ni de haine, ni de malignité, ni d'animosité. Il n'y a qu'à prendre le premier journal venu, à regarder n'importe quelle image télévisée, à lire n'importe quel roman moderne ou à suivre les affaires politiques courantes pour découvrir tous les désagréments et injustices dont on a besoin pour renforcer son attitude négative.

Mais la plupart des hommes négligent de considérer qu'il y a deux courants majeurs qui les déchirent dans leur processus complexe d'adaptation. Il est certain qu'ils doivent s'accommoder des forces extérieures, des forces naturelles. Un tremblement de terre, une inondation ou la foudre peuvent le détruire ou anéantir ceux qu'il aime. Un accident peut frapper l'homme et le rendre définitivement infirme. Mais la façon dont il réagit et vit le handicap ou le tremblement de terre ou l'inondation est une autre affaire. Là, il peut exercer son contrôle. L'homme est doué de volonté et est ainsi dans une large mesure capable d'orienter sa vie. Les effets dévastateurs des forces extérieures ne sont pas souvent rencontrés au cours de sa vie. Ainsi est-il libre d'utiliser ses pouvoirs personnels pour façonner sa propre vie. Il peut écrire le texte, s'entourer des acteurs de son choix, peindre sa toile de fond et décider de sa musique d'ambiance. S'il n'aime pas la pièce qu'il s'est créée, il ne pourra que se blâmer lui-même. Même à ce moment-là, il a le choix. Il peut sortir de scène et écrire une nouvelle pièce. Un homme libre est un homme libre même dans la prison la plus sombre. La plupart des gens qui désespèrent ont peu de connaissance et encore moins de volonté pour faire changer les choses pour eux-mêmes. Ils sont convaincus que les choses sont inaltérables et qu'elles le seront toujours. Aussi longtemps que l'homme a de la volonté, il a quelque degré de contrôle sur ses réactions, réponses et conclusions. Dans cette mesure, il peut prendre sa vie en charge. Il n'est pas complètement à la merci de forces plus grandes que lui puisqu'il devient lui-même une force dynamique.

Ainsi, s'il veut changer quoi que ce soit, l'homme doit avoir confiance en sa capacité de changer. S'il est insatisfait de son habileté à vivre l'amour, par exemple, il doit constater cette situation mais se convaincre qu'il peut intervenir.

Savoir que l'on est capable de changer est une première étape; la seconde consiste à prendre la décision de changer. Le changement ne se produit pas par un simple effet de la volonté, pas plus que la conduite ne change du seul fait d'être comprise. On peut bien savoir que quelque chose est mauvais, douloureux ou dangereux et continuer à le rechercher. On ne peut arriver au changement que quand on décide d'une formule pour l'opérer. L'homme obèse qui veut désespérément être mince et beau dans son maillot de bain n'y arrivera pas par son seul désir. Il doit s'imposer un régime, s'y tenir et effectuer les exercices d'amaigrissement requis. Autrement, son désir ne deviendra jamais réalité. Il a l'intuition qu'il lui faut pour arriver à ce but, mais tant qu'il n'en arrive pas à l'action, cette intuition est nulle. « Être, c'est faire », disent les existentialistes. « L'homme ne devient réellement humain qu'au moment de l'action. » Si l'on veut aimer, on doit s'avancer jusqu'à l'amour.

Il doit pouvoir se pardonner à lui-même de ne pas être parfait.

Il doit comprendre que le changement est inévitable et que, lorsqu'il est orienté vers l'amour et la réalisation de soi, il est toujours bon.

Il doit être convaincu que le comportement, pour être acquis, doit être essayé. « Être, c'est faire. »

Il doit apprendre qu'il ne peut pas être aimé par tous les hommes. Ce serait l'idéal, mais dans le monde des hommes, on ne le trouve pas souvent. Il peut être la meilleure prune au monde, mûre, douce, juteuse, succulente et s'offrir à tous. Mais qu'il n'oublie pas que tout le monde n'aime pas les prunes.

Il doit comprendre que, s'il est la meilleure prune au monde et que quelqu'un qu'il aime n'aime pas les prunes, il a le choix de devenir une banane. Mais il doit savoir que, s'il choisit d'être une banane, il sera une banane de second ordre. Mais il peut toujours être la meilleure prune.

Il doit savoir que, s'il choisit d'être une banane de second ordre, il court le risque que la personne aimée le considère de second ordre et le rejette pour trouver mieux. Il peut alors passer sa vie à essayer de devenir la meilleure banane, ce qui est impossible s'il est une prune, ou il peut continuer de chercher à être la meilleure prune.

La troisième étape dans le changement est probablement la plus difficile. Elle comporte un processus actif de réapprentissage. Tout apprentissage comporte une recherche, une découverte, une analyse, une évaluation, une expérimentation, une acceptation, un rejet, une pratique et un renforcement. On dit souvent: « L'amour est sa propre récompense. » Si cela signifie qu'en étant une personne capable d'amour on obtient tout le renforcement dont on a besoin, ce n'est vrai qu'en partie. Cela veut aussi dire que, comme la société et l'homme sont souvent loin d'être parfaits, on aura à certains moments à faire son renforcement soi-même pour pouvoir continuer l'apprentissage. Celui qui aime doit souvent dire: « J'aime parce que je le dois, j'aime parce que je le veux, j'aime pour moi-même, non pour les autres, j'aime pour la joie que cela me donne, et incidemment seulement pour la joie que cela donne aux autres. S'ils me renforcent, ce sera bon. S'ils ne le font pas, ce sera bon tout de même, parce que je veux aimer. »

Dans toutes les formes d'apprentissage, l'homme doit être constamment alerte, vigilant, patient, fidèle, confiant, avoir l'esprit ouvert et ne pas se laisser décourager. Il doit être disponible à l'expérimentation, constamment s'évaluer et demeurer souple. La vie, avec l'expérimentation totale dans le vivant, est la meilleure classe pour apprendre à aimer. Même le meilleur gourou ne peut vous donner l'amour, il ne peut que vous aider en vous guidant, en vous proposant ses intuitions, ses suggestions, son encouragement. Vous n'apprendrez pas en regardant les autres vivre l'amour; vous n'apprendrez qu'en étant participant actif en amour.

Ainsi, si l'on est insatisfait de son habileté à vivre l'amour, c'est bien, parce que c'est peut-être le premier pas dans la découverte de l'amour après lequel on languit. Mais ceci n'est que le commencement. L'homme doit aussi vouloir changer et faire en sorte d'entreprendre le changement. L'apprentissage est un processus compliqué qui dure toute la vie. L'apprentissage de l'amour est un processus constant de changement. Ce changement est sans fin, puisque le potentiel d'amour chez l'homme est infini.

---

L'immersion totale dans la vie est une
classe idéale pour apprendre à aimer.

---

100

# 5

# Les obstacles à l'amour

« Même si le message peut ne jamais être reçu, cela ne veut pas dire qu'il ne vaut pas la peine de l'envoyer. »

— Segaki

L'amour n'est jamais facile et celui qui a décidé de vivre en amour est susceptible de rencontrer plusieurs barrières à sa croissance en amour. Mais s'il les analyse soigneusement et astucieusement, il pourra découvrir que ces barrières sont toutes des obstacles artificiels et le plus souvent venant de lui-même. En réalité, ces obstacles n'existent pas. Pour la majeure partie, ils sont simplement des excuses pour ne pas accepter le défi de l'amour. L'homme qui est dupe de ces obstacles se condamne à jamais à demeurer beaucoup moins qu'un être humain à part entière.

L'homme a de puissants motifs pour attribuer son incapacité d'aimer à des facteurs extérieurs à lui-même. Il peut s'acharner à dire, par exemple, que les autres sont fondamentalement corrompus, dépravés et incapables de changer. Sera-t-il par conséquent assez insensé pour essayer de les influencer quand même? Il peut accuser l'homme d'être hostile de nature. N'est-ce pas alors une sage décision d'éviter les contacts avec les autres, à moins d'être un irréfléchi cherchant à se faire blesser? Il peut noter que les embûches sans fin qui sèment le chemin de l'amour sont insurmontables et l'ont toujours été historiquement. Est-ce que ses efforts pour les écarter ne seraient pas semblables à ceux d'un insecte tentant de détourner le cours d'un fleuve? Une perte de temps et d'énergie! Ou bien il peut se rasseoir confortablement dans la certitude qu'il est déjà une personne capable d'amour, satisfait de sa capacité d'aimer et d'être aimé. Ne serait-il pas insensé, alors, de jouer sa sécurité actuelle pour un avenir incertain?

L'homme se cache souvent confortablement derrière ces rationalisations facilement renforcées par sa vie entière. Il ne voit jamais leur lien avec son incapacité de nouer des relations sérieuses, significatives, ou de ressentir des expériences fortes.

S'il s'imagine un homme comme fondamentalement mauvais et hostile, par exemple, il est sage d'hésiter à se révéler lui-même, encore plus d'hésiter à révéler son amour pour cet homme, car en agissant ainsi, il pourrait blesser quelqu'un. Il est plus facile et plus sûr pour lui de rester assis seul, même s'il ressent une tendance naturelle à se lier aux autres, que de courir le risque d'être rejeté. Sa première présomption, naturellement, c'est que les autres le rejetteront. Il considère rarement le fait qu'il a autant de chance d'être accepté. Il ne lui semble pas possible que la personne qui se trouve à la table voisine ou de l'autre côté de la pièce puisse avoir un besoin de lui aussi grand que celui qu'il ressent pour elle. Il choisit de demeurer silencieux, isolé, seul, et il affirme comme défense: « Et si je m'approche de l'autre et qu'il se détourne? » Il se demande rarement: « Qu'arrivera-t-il si je tends ma main vers l'autre et qu'il fait de même en disant: 'Oui, s'il te plaît, joins-toi à moi'? »

Je me rappelle un soir dans un bar à San Francisco, où j'étais avec plusieurs bons amis. La conversation était animée. Nous partagions nos réactions sur les événements agréables de la journée. J'ai remarqué un homme à une table voisine, assis seul, regardant fixement son verre à moitié plein et j'ai dit: « Pourquoi ne lui demandons-nous pas de se joindre à nous? Il me semble si seul. Je sais ce que c'est d'être seul dans un endroit plein de monde. »

« Laisse-le tranquille », dirent tous les autres. « Peut-être qu'il a envie d'être seul. »

« C'est bien, mais je vais le lui demander, il aura le choix. »

Je me suis approché de l'homme pour lui demander s'il voulait se joindre à nous ou s'il préférait rester seul. Les yeux brillant de surprise, il a accepté avec joie. C'était un visiteur allemand. À notre table, il nous a dit qu'il avait voyagé d'un bout à l'autre des États-Unis sans parler à personne sauf aux réceptionnistes d'hôtels, aux guides touristiques et aux serveurs. Notre invitation était le changement le plus opportun.

Admettons-le, c'était aussi de sa faute s'il était seul; chacun de nous est en partie responsable de sa solitude s'il demeure inaccessible. Si nous prenons le risque, il est vrai que nous pouvons être rejetés, mais nous devons nous rappeler que tous les hommes sont aussi des amis et des amoureux en puissance.

Nous avons tendance à soupçonner l'homme d'être plus souvent mauvais que bon. Le mal fait la manchette des médias, rarement le bien. Par rapport à la population mondiale, il y a relativement peu de meurtres, de vols, de viols et de crimes ignobles. Mais lorsqu'un crime a lieu, nous sommes certains d'en entendre parler. Pas seulement parce que c'est une nouvelle mais plutôt parce qu'il fait vendre des journaux. Les gens semblent se réjouir du sensationnel et trouvent un certain plaisir dans la répulsion. Mais en réalité, la plupart des hommes sont comme nous-mêmes. Ils ne blessent pas volontairement un autre être humain, ils ne volent pas ni ne tuent. On peut généralement leur faire confiance, ils sont attentifs et amicaux. La plupart vivent leur vie sans avoir affaire à la police, aux cours de justice et aux avocats. C'est d'ailleurs plutôt ce qu'on attend de l'homme. D'autre part, le mal qu'il commet est amplifié. Cela intéresse car c'est une déviation. Mais nous agissons souvent comme si la déviation était la règle. Peut-être le plus grand tribut à la bonté de l'homme a-t-il été rendu par la jeune Anne Frank, une Juive qui a littéralement passé la majeure partie de sa courte vie à se cacher des nazis dans un petit appartement d'Amsterdam pour finalement être tuée par eux. Elle était encore capable d'écrire dans son journal peu avant d'être assassinée: « Peu importe. Je crois encore qu'au fond l'homme est bon. »

L'homme apprend le mal de la même manière qu'il apprend le bien. Si l'homme croit en un monde de mal, il réagira par la suspicion, la peur, et il sera constamment à la recherche du mal, qu'assurément il trouvera. D'autre part, s'il croit en un monde de bien, il demeurera confiant, sensible et plein d'espoir. Ne discerner que le mal dans le monde et choisir de vivre dans son ombre, c'est élever un autre obstacle à l'amour.

Un autre obstacle à l'amour est la rationalisation selon laquelle il y aurait trop de forces empêchant une personne saine d'aimer. Quoique l'homme, par nature, soit un créateur, crée la vie et construise sur la connaissance, on lui enseigne souvent très tôt que sa survie même dépend de sa capacité de détruire. Il est dépeint comme étant constamment à la merci d'une série de forces destructrices. En fait, c'est comme s'il fallait être parmi les destructeurs pour prospérer dans la culture. Il est dès lors compréhensible que l'homme ait si peu tendance à utiliser sa force créatrice pour combattre les forces de destruction. Cela semble d'ailleurs sans espoir. Or, l'homme est le plus heureux lorsqu'il crée. En fait, le degré le plus élevé que l'homme puisse atteindre, il l'atteint dans l'acte créateur. L'amour crée toujours, il ne détruit jamais. En ceci réside la seule promesse de l'homme.

Dans son étonnant petit roman philosophique *Le Pont de San Luis Rey*, Thornton Wilder conclut par l'affirmation suivante: « Il y a la terre de l'amour et la terre de la mort. Le pont est l'amour; la seule vérité, la seule survie. »

Si l'homme considère la haine et l'hostilité dans le monde, le tableau est si bouleversant que souvent il abandonne tout espoir. S'il étudie le passé, il constate que l'égoïsme, la misère, la cupidité et l'affliction remontent aux débuts de l'humanité. Convaincu que les hommes ont toujours convoité plus de choses et qu'ils se sont toujours battus entre eux pour les acquérir, il croit qu'il en sera toujours ainsi; les catholiques contre les protestants contre les juifs; les communistes contre les socialistes contre les capitalistes; le riche contre le pauvre contre le bourgeois; le Noir contre le Blanc contre le Jaune; le génie contre l'intelligence contre l'ignorance. Son argument repose sur le fait qu'il en a toujours été ainsi et qu'il en sera toujours ainsi, et qu'il est vain d'essayer, comme individu, d'y changer quelque chose. Certes, des problèmes comme la pauvreté, la famine, les guerres, l'ignorance, les préjugés, la peur et l'antipathie se posent indéniablement. Il y a peu d'individus qui ont le pouvoir d'éliminer les préjugés, de soulager la pauvreté universelle ou de faire cesser les guerres dans le monde, mais là n'est pas la question. La seule question que nous pouvons équitablement nous poser, c'est « Qu'est-ce que moi je peux faire? » Il s'agit de prendre la question au sérieux et, si nous voulons en assumer la responsabilité, la réponse sera habituellement simple et adéquate.

---

L'amour crée toujours, il ne détruit jamais.
En ceci réside la seule promesse de l'homme.

---

J'ai rencontré un jeune réfugié chinois de Hong Kong. Il venait d'une famille de onze personnes souffrant toutes de malnutrition. Même s'il avait une certaine connaissance de l'anglais, il voulait désespérément l'apprendre de façon à pouvoir garder un emploi bien rémunéré en ville. Grâce à ma contribution de quelques dollars pour acheter des livres et pour payer son inscription à un cours d'anglais, il a été en mesure de faire revenir sa famille à un niveau de vie décent. Il était déterminé à me rembourser après ses études. J'ai refusé et lui ai demandé de trouver un autre jeune homme comme lui et de lui offrir une chance semblable. Jusqu'à maintenant, nous avons ainsi envoyé trois jeunes gens à l'école. De cette façon, je n'ai pas résolu le problème des réfugiés de Hong Kong, mais j'ai aidé trois familles à survivre. Si chacun assumait une petite responsabilité, les choses iraient mieux. C'est bien aussi d'aider les autres par l'intermédiaire des grands systèmes de charité mais la valeur personnelle, la joie et la satisfaction de percevoir et d'expérimenter les résultats seront moindres. Les choses peuvent changer. Rien n'est irréversible. Peut-être que je ne peux pas personnellement réduire le taux de mortalité infantile ou résoudre les problèmes des personnes âgées, mais je peux consacrer une journée de mon temps à distraire un enfant ou à tenir compagnie à une personne âgée.

Le peu de connaissance de l'amour — et le fait de s'en contenter — est aussi un obstacle à la croissance en amour. Si l'homme estime jouir de l'amour de quelques personnes dans sa vie et pouvoir les aimer en retour, il croit que c'est tout ce qu'il a besoin de connaître de l'amour ou tout ce qu'il peut espérer trouver. Qu'y aurait-il d'autre? Il ne soupçonne pas que l'amour est sans limite, profond, infini, et que le potentiel d'une plus grande sécurité, de la joie et de la croissance est en lui. Il n'envisage pas la possibilité qu'ailleurs, en ce moment même, quelqu'un a besoin de son amour. Il faut souvent un choc émotif grave pour sortir l'homme de sa léthargie. Supposons qu'il a maintenant une femme qu'il aime et qui l'aime; ils ont une vie sexuellement heureuse; deux enfants qui grandissent à son image; une maison aux murs épais avec de grosses serrures pour le protéger du monde extérieur; un bon emploi et de l'argent en banque pour assurer son avenir. Il a tout. Mais qu'arrive-t-il si, comme dans l'histoire de Job, les choses tombent l'une après l'autre? Ses enfants abandonnent l'école et vont se joindre à une commune hyppie; sa femme prend un amant; il perd sa situation; ses murs s'écroulent; la banque fait faillite; ses serrures sont forcées? Il a plusieurs choix. Il peut s'efforcer de retrouver la même vie, ce qui est impossible. On ne peut jamais rien revivre, car cela demeure toujours au mieux une faible copie de l'original. Il peut devenir fou ou se suicider. Il peut devenir amer et vivre sans confiance, sans espoir et sans intérêt. Ou il a l'occasion d'apprendre à partir de ce malheur, de croître à partir de l'expérience et de repartir à neuf avec une nouvelle connaissance, de l'espoir, des possibilités nouvelles.

Quand l'homme fait face au changement, il utilise souvent l'excuse qu'il est trop vieux pour changer, trop vieux pour apprendre. Il se dit: « On ne peut pas apprendre de nouveaux tours à un vieux chien. » Appliquée à l'homme, cette image est aussi dégradante que fausse. Même un « vieux chien » peut apprendre de nouveaux tours. Le vrai problème, c'est que l'homme manque de motivation ou qu'il est simplement trop paresseux. La capacité humaine d'apprendre sera toujours plus grande que celle d'un « vieux chien », et les comparer, c'est dégrader la force même qui maintient le chien au niveau du chien mais qui rend l'homme humain.

Chaque jour apporte de nouveaux moyens d'apprendre et de croître en amour. Chaque jour où nous devenons plus perspicaces, plus flexibles, mieux informés, plus conscients, nous croissons en amour. Même la chose apparemment la plus insignifiante peut nous rapprocher de nous-mêmes et par là des autres. À condition, à chaque moment, d'écouter et d'apprendre — le cri du goéland sur une plage déserte balayée par le vent nous en dira autant sur la vie et sur la mort que la tragédie qui détruit notre maison et emporte des êtres aimés. Comme le dit le *haiku* japonais: « Ma grange ayant été rasée par les flammes, je peux dorénavant voir la lune. » Il y a à percevoir, à savoir et à découvrir autant dans la lune que dans la grange. Maintenant, le fermier connaît les deux.

On ne doit jamais se contenter de sa capacité d'aimer. Où qu'on en soit, ce n'est toujours qu'un commencement.

Enfin, un grand obstacle à l'amour se trouve dans la peur du changement, car, comme nous l'avons proposé plus haut, la croissance, l'apprentissage, l'expérience sont changement. Le changement est inévitable. La seule chose dont nous puissions être certains, c'est le changement. Nier le changement, c'est nier la seule réalité. Les attitudes changent, les sentiments, les désirs, et spécialement l'amour changent. Il n'y a rien pour arrêter le changement, rien pour revenir en arrière; il n'y a qu'à continuer dans le changement. Un conte hindou propose l'histoire d'un homme qui, dans un petit bateau, rame à contre-courant dans une rivière agitée. Après un grand combat, il découvre finalement que son effort est futile, aussi abandonne-t-il; il lève ses rames et se met à chanter. L'instant lui enseigne un nouveau mode de vie; ce n'est qu'en suivant le courant de la rivière changeante que l'homme est vraiment libre.

Les obstacles à l'amour viennent de l'homme. L'amour ne sera pas détourné. L'amour court comme la rivière, toujours lui-même, quoique toujours changeant; aucun obstacle ne l'arrête.

# 6

# S'aimer soi-même
# pour aimer les autres

« Après tout, nous sommes un, vous
et moi, ensemble nous souffrons,
ensemble nous existons, et à jamais
nous nous recréons l'un l'autre. »

— Teilhard de Chardin

Pour aimer les autres, on doit s'aimer soi-même. Nous avons déjà affirmé plusieurs fois qu'on ne peut donner aux autres que ce qu'on a soi-même. Ceci est particulièrement vrai de l'amour. Vous ne pouvez pas donner ce que vous n'avez pas appris et vécu. Puisque l'amour n'est pas une chose, il ne se perd pas lorsqu'on le donne. Vous pouvez offrir votre amour sans réserve à des centaines de personnes et continuer de posséder le même amour. C'est comme le savoir. Le sage peut enseigner tout ce qu'il sait et, quand il a tout donné, il sait encore tout ce qu'il a enseigné. Mais il doit d'abord posséder le savoir. Il serait préférable de dire que l'homme « partage » l'amour, comme il « partage » le savoir; mais il ne peut partager que ce qu'il possède.

S'aimer soi-même n'implique pas une réalité égocentrique comme dans le cas de la vieille sorcière de *Blanche Neige* qui se délecte devant le miroir en demandant: « Miroir, miroir, dis-moi qui est la plus belle de toutes. » S'aimer soi-même représente un intérêt authentique, de l'attention, un engagement et le respect de soi-même. Prendre soin de soi-même est fondamental à l'amour. L'homme s'aime lorsqu'il se voit avec précision, qu'il apprécie sincèrement ce qu'il voit, mais surtout s'il est passionné et stimulé par la perspective de ce qu'il peut devenir.

Tout homme est unique. La nature déteste l'uniformité. Dans un champ, chaque fleur est différente, chaque brin d'herbe. Avez-vous déjà vu deux roses semblables, même à l'intérieur d'une seule variété? Deux visages ne sont jamais exactement semblables, même ceux de jumeaux identiques. Nos empreintes digitales sont si singulières qu'elles permettent de nous identifier catégoriquement. Mais l'homme est une créature étrange. La diversité l'effraie. Au lieu d'accepter le défi, la joie, l'émerveillement de la diversité, il en a peur. Ou bien il s'enfuit ou bien il s'efforce d'uniformiser. Ce n'est qu'ainsi qu'il se sent en sécurité.

Chaque enfant qui naît est une création unique, une nouvelle combinaison de merveilles. En général, son anatomie est semblable à celle des autres, mais même le fonctionnement anatomique varie subtilement d'un individu à l'autre. Le développement de la personnalité semble affecté par des facteurs communs: l'hérédité, l'environnement, la chance. Mais il y a sûrement un facteur additionnel, pas encore identifiable scientifiquement, qu'on pourrait appeler le facteur X de la personnalité, cette combinaison particulière de forces qui agissent sur l'individu de sorte qu'il réagira, répondra, percevra de façon unique. L'enfant est exceptionnel, mais la majeure partie de l'apprentissage qu'il recevra depuis la naissance ne lui permettra pas d'avoir la liberté de découvrir et de développer son caractère exceptionnel.

Comme nous l'avons indiqué antérieurement, la vraie fonction de l'éducation devrait être d'aider l'enfant à découvrir son caractère unique, de l'assister dans son développement et de lui montrer comment le partager avec les autres. Or l'éducation est plutôt une « imposition » sur l'enfant de la soi-disant « réalité ». D'autre part, la société devrait être l'agent à travers lequel se donne en partage le caractère unique de l'enfant, car elle est dans un urgent besoin d'approches nouvelles tant pour la vie individuelle que pour la vie collective. Mais la société reste convaincue que ce qui s'est passé pendant des siècles est ce qu'il y a de mieux, même si ça ne s'est pas confirmé. Cette erreur, si on y adhère, conduit à la ruine de l'individualité.

Chaque enfant offre au monde un nouvel espoir. Mais cette perspective effraie apparemment la plupart des gens. Que serait une société constituée de « vrais individus »? Serait-elle sans règles et conduirait-elle à l'anarchie? Nous reculons d'horreur à cette hypothèse. Nous nous sentons plus en sécurité avec une « majorité silencieuse ». Nous n'avons pas confiance et nous suspectons les « marginaux ». La famille doit faire en sorte que l'enfant « convienne » à l'ordre établi par la société. On donne à l'éducation un rôle similaire. Elle a le plus de succès lorsqu'elle maintient le statu quo, lorsqu'elle produit ce que nous appelons de « bons citoyens ». La définition du « bon citoyen », c'est habituellement « celui qui pense, agit et réagit comme tout le monde ». Les éducateurs croient qu'il existe un bagage de connaissances essentiel qu'il est de leur devoir d'implanter dans chaque enfant. Pour leur défense, ils invoquent le fait qu'ils transmettent « la sagesse acquise à travers les âges ».

S'aimer soi-même, c'est lutter pour découvrir et maintenir son caractère unique. C'est comprendre et apprécier l'idée que vous serez le seul « vous » à jamais vivre sur cette terre, que lorsque vous mourrez, avec vous mourront toutes vos possibilités fantastiques. C'est admettre que même vous n'êtes pas totalement conscient des merveilles qui dorment à l'intérieur de vous. Herbert Otto dit que seulement cinq pour cent de notre potentiel humain se réalise au cours de notre vie. Margaret Mead a émis l'hypothèse que seulement quatre pour cent en était découvert. Qu'en est-il des autres quatre-vingt-quinze pour cent?

Le psychiatre R.D. Laing a écrit: « Nous pensons beaucoup moins que ce que nous savons, nous savons beaucoup moins que ce que nous aimons, nous aimons beaucoup moins que ce qui existe, et dans cette mesure exacte nous sommes beaucoup moins que ce que nous sommes! »

Il existe un « vous », dormant en vous. Un potentiel à réaliser. Peu importe que vous ayez 60 ou 160 de quotient intellectuel, il y a plus en vous que ce dont vous êtes actuellement conscient. Peut-être la seule paix et la seule joie dans la vie reposent-elles dans la poursuite et le développement de ce potentiel. Il est peu probable que quelqu'un réalise tout son « moi » dans une vie même si chaque instant y est consacré.

Goethe fait découvrir ceci à Faust lorsqu'il affirme: « Si sur cette terre je pouvais trouver un seul moment de paix, je dirais à ce moment de paix: 'Demeure un peu, tant tu es bon!' » S'il se repose de cette recherche même un bref instant, il côtoie le mal, car il ne peut y avoir de cesse dans la lutte de l'homme pour devenir. L'Évangile selon saint Jean nous dit que notre maison a plusieurs pièces, chacune comportant ses propres merveilles à découvrir. Comment pouvons-nous être contents tout en laissant les araignées, les rats, la pourriture et la mort envahir notre maison?

Ce qui peut exister est toujours un potentiel à découvrir. Il n'est jamais trop tard. Cette connaissance devrait fournir à l'homme sa plus grande motivation — la poursuite du moi —, son odyssée personnelle; explorer l'espace de ses pièces et y instaurer un ordre. Cela devrait le stimuler non seulement à être une personne bonne, aimante, capable de sentiments, intelligente, mais la meilleure, la plus aimante, la plus sensible et la plus intelligente personne qu'il soit capable de devenir. La recherche de soi n'est pas une compétition avec quiconque, l'homme est son propre agent de stimulation.

Par conséquent, s'aimer soi-même implique la découverte de la pure merveille qu'il y a en soi. Cela implique la conscience continue d'être unique, de n'être semblable à aucune autre personne au monde, et la vision de la vie comme étant, ou devant être, la découverte, le développement et le partage de cette singularité. Le processus n'est pas toujours simple parce que l'on est appelé à être confronté avec ceux qui se sentent menacés par ce « vous » changeant et en croissance. Mais ce sera toujours stimulant, toujours nouveau, et comme pour toutes les choses nouvelles et changeantes, ce ne sera jamais ennuyeux. Le voyage en vous-même est le plus grand, le plus agréable et celui qui dure le plus longtemps. Le coût en est modeste; il comprend seulement l'expérimentation continuelle, l'évaluation, l'éducation et les tentatives de nouvelles conduites. Vous êtes seul juge pour déterminer ce qui est bon pour vous.

La culture occidentale a toujours été une culture de compétition. La valeur de l'homme s'est toujours mesurée quantitativement selon ce qu'il a de plus que les autres. S'il a une plus grande maison, une voiture plus puissante, une instruction plus impressionnante, il doit être meilleur. Mais ces valeurs ne sont pas universelles. Il y a des cultures où l'admiration va au sage, au professeur qui a passé sa vie à se découvrir et n'a aucune valeur matérielle à montrer. Il y a des cultures qui valorisent la joie et la paix bien plus que la propriété et les affaires. Elles formulent l'hypothèse que, puisque l'homme doit mourir, qu'il soit pauvre ou riche, le seul véritable but de la vie est la joie actuelle et la réalisation de soi-même dans la joie et non dans l'accumulation de biens matériels. Il y a des régions où la nature a enseigné et continue d'enseigner cela comme une vengeance. À quoi bon accumuler des objets ou construire une grande villa au pied de l'Etna? Quel est le sens d'une habitation permanente là ou la mousson survient chaque année et balaie tout sauf les gens et la terre?

Aux États-Unis, les années 30 ont obligé beaucoup de personnes à reconsidérer leurs valeurs. Après le crash de la bourse, ceux qui avaient tout misé sur les biens matériels ont été ensevelis avec eux, certains allant même jusqu'au suicide. D'autres, qui avaient fondé leurs espoirs en eux-mêmes, ont soupiré: « J'ai déjà réussi... je peux recommencer » et ils sont sortis pour créer à nouveau. S'aimer soi-même implique l'appréciation de sa propre valeur par-dessus toutes choses.

Vous aimer vous-même implique aussi de savoir que seul « vous » peut être « vous ». Si vous essayez d'être comme n'importe qui d'autre, même si vous vous en rapprochez beaucoup, vous ne serez toujours que bon second. Mais vous êtes le meilleur de vous-même. C'est la chose la plus facile, la plus pratique, la plus satisfaisante à être. Cela donne alors le sentiment que vous ne pouvez être pour les autres que ce que vous êtes pour vous-même.

Si vous vous connaissez, si vous vous acceptez et si vous vous appréciez dans votre caractère unique, vous permettrez aux autres de faire de même. Si vous valorisez et appréciez la découverte de vous-même, vous encouragerez les autres à s'engager dans la découverte d'eux-mêmes. Si vous reconnaissez votre besoin d'être libre pour découvrir qui vous êtes, vous donnerez aux autres la liberté de faire de même. Quand vous réalisez que vous êtes le meilleur « vous », vous acceptez le fait que les autres sont le meilleur « eux ». Mais il s'ensuit que tout commence avec vous. Dans la mesure où vous vous connaissez, et nous sommes tous plus semblables que différents, vous pouvez connaître les autres. Quand vous vous aimerez, vous aimerez les autres. Et c'est à la mesure et à l'étendue de votre amour pour vous que vous serez capable d'aimer les autres.

---

L'amour et le moi ne font qu'un.
Et en découvrant l'un on réalise les deux.

---

---

Quand l'homme a l'amour, il n'est plus à la merci de forces plus grandes que lui, car lui-même devient la plus grande force.

---

# 7

# L'amour
# ennemi des étiquettes

« L'homme a du monde une image assez statique qui lui est accidentellement ou obligatoirement imposée à travers des chaînes d'associations conditionnelles. L'homme croit que cette trace imposée est la réalité. »

— Timothy Leary

Dans un chapitre précédent, nous avons parlé de l'importance des mots dans le processus d'apprentissage de l'amour. Nous disions que les mots laissent une trace permanente, provoquent un gel de la réalité, à travers quoi tout l'apprentissage et la perception à venir seront filtrés. Ce filtrage est une grande entrave à l'amour. Si votre apprentissage vous a amené à éviter les Noirs, les Juifs ou les Mexicains, ou ceux qui ont des manières différentes des vôtres, une robe différente, vos possibilités d'aimer ces êtres humains sont en conséquence minimisées.

L'homme a inventé les mots pour se libérer. Il a inventé le langage pour pouvoir se communiquer aux autres et leur permettre de faire de même. Il avait besoin de l'aide des mots pour organiser et enregistrer la sagesse du passé et les rêves de l'avenir. Il a découvert que les mots l'aidaient à organiser son environnement. Mais par-dessus tout, il a utilisé les mots pour penser et pour créer. Il a développé le langage pour se libérer, sans jamais imaginer qu'il deviendrait un jour esclave du langage. Il a découvert que les étiquettes elles-mêmes qu'il inventait pour représenter simplement quelque chose avaient vite le pouvoir de devenir la chose elle-même. L'homme a commencé à agir comme si le mot était la chose. Vu qu'il avait le mot pour le dire, l'homme a cru qu'il avait la « chose ». Il en a donc déduit qu'il pouvait la livrer aux autres simplement en utilisant les étiquettes. Lorsqu'il parlait d'un Français, il supposait que tout le peuple français correspondait à l'image statique du Français qu'il avait. Sans aller certes jusqu'à inhiber sa capacité de communiquer, l'étiquette a piégé l'homme; il en est devenu l'esclave et s'est distancé des autres êtres humains. Il n'a jamais cessé de demander ce que lui ou les autres entendaient en réalité d'un individu en l'étiquetant de « communiste », « catholique », « républicain », « juif ». Il ne se préoccupe pas de savoir si le « communiste » est aussi un bon père, un homme doux, un professeur dévoué, un brave homme, un amant passionné, un pacifiste, un rêveur ou un créateur. Les stimuli négatifs produits par le mot « communiste » étaient assez puissants pour le convaincre qu'il devait « haïr » l'individu. Ainsi a fait l'homme.

Quand j'étais enfant, il était courant de traiter les Italiens de « métèques ». Nous avons déménagé dans un quartier où il n'y avait jamais eu de famille italienne. Immédiatement, l'étiquette a commencé son oeuvre. « Les métèques sont tous membres de la mafia. » « Un métèque dans le voisinage va faire baisser la valeur des propriétés. » « Finie la paix dans le quartier. Les métèques sont tellement émotifs et démonstratifs. »

Pendant des mois, on nous a ignorés, même si nous essayions de briser les barrières. Nous avions été catégorisés, mis à l'écart. La connotation péjorative du mot « métèque » permettait à nos voisins de croire qu'ils nous connaissaient et d'être à l'aise en nous rejetant.

Or, ce qu'ils ne savaient pas à notre sujet était de loin plus important et plus significatif que ce qu'ils savaient. Ils ne savaient pas que maman était chanteuse et que la maison était toujours pleine de musique.

Maman avait aussi une grande connaissance médicale secrète et, pendant qu'elle a été notre médecin, personne dans la famille n'a jamais été malade. Son traitement consistait principalement en deux remèdes majeurs: l'ail, qui était un médicament à usage quotidien, et la « polenta », qui était un mélange épais de semoule de maïs et d'eau bouillante placé sur la poitrine lorsque tout le reste avait échoué. L'ail était cru, frotté dans un petit mouchoir qu'elle nous attachait autour du cou chaque matin avant que nous partions pour l'école. Assez curieusement, nous n'étions jamais malades. (J'ai développé une théorie à ce sujet: grâce à l'ail, personne ne nous approchait d'assez près pour nous transmettre des microbes.) La polenta, quoique je n'aie jamais été capable de l'évaluer d'un point de vue pharmaceutique, opérait aussi des miracles; cela ne tenait peut-être qu'au seul fait de constater que n'importe quelle maladie était banale comparée à la brûlure au second degré laissée sur notre peau par la semoule bouillante. C'étaient là déjà des raisons suffisantes pour que les voisins ne nous excluent pas. Quels meilleurs remèdes auraient pu être partagés? Comment auraient-ils jamais la chance d'entendre des arias et des opéras aussi superbement interprétés?

Papa faisait un vin qui aurait convenu à l'autel du pape. Il exigeait aussi de nous tous une croissance conti- nuelle. La question préférée qu'il posait à chacun de nous après chaque repas, c'était: « Qu'as-tu appris de nouveau aujourd'hui? » Il était toujours avide d'apprendre et cons- tamment préoccupé de sa propre instruction. Nous trou- vions le vin épatant; en fait, j'ai été sevré au vin. La mise en commun des nouvelles connaissances stimulait moins l'appétit. Lorsqu'il était avec nous au dîner, toute la famille s'affairait à fouiller dans l'encyclopédie pour trouver quelque chose de neuf à enseigner à papa au moment où il s'assoyait, frisait sa moustache et sirotait son vin. Nos intolérants voisins manquaient à la fois cet échange intel- lectuel et, par-dessus tout, les délices d'un « vino rosso » maison.

Pour être capable d'aimer, on doit contrôler son environnement linguistique, « dégeler » tous les préjugés véhiculés par les vieux pièges des mots. On dit que Buckminster Fuller a été tellement dérouté de se voir tyrannisé par les mots qu'il a passé deux ans, dans une solitude presque totale, à étudier le sens que les mots prenaient spécifiquement pour lui. Ce n'est qu'après deux ans qu'il s'est senti suffisamment libéré des pièges du langage pour l'utiliser comme moyen de rapprocher les choses plutôt que de les éloigner, pour en faire son outil.

L'effet du langage sur la personnalité relève maintenant de la psycholinguistique. Le psycholinguiste montre à souhait comment le langage affecte le comportement. Il y a ceux qui ont créé un environnement linguistique positif. Leur vocabulaire est joyeux, agréable, il reflète la beauté et renforce le bien. D'autres sont enfermés dans des expressions négatives. Leur vie est faite de mots rudes, caustiques, inertes, moroses, tièdes, des mots déprimants, dénués de joie, renforçant tout ce qui est négatif.

Peut-être le mot le plus positif et celui qui induit le mieux à poursuivre la croissance en amour est-il « oui ». « Oui » est le meilleur « dégivreur » de symboles et d'idées gelés. Celui qui aime dit « oui » à la vie, « oui » à la joie, « oui » au savoir, « oui » aux gens, « oui » aux différences. Il constate que toutes les choses et tous les autres ont quelque chose à lui offrir, que tout est dans tout. Si « oui » est trop menaçant, il essaie « peut-être ».

Dire « non » à quelque chose, c'est l'exclure; l'exclure, c'est lui fermer la porte, peut-être à jamais.

Dans son chef-d'oeuvre, *Ulysse*, James Joyce conclut avec la plus grande affirmation de la littérature lorsque Molly soupire pendant plusieurs pages: « Ouiiiiiii ». « Oui. Oui. Oui. Oui! »

Dag Hammarskjold écrivait dans ses *Notes* personnelles: « Je ne sais pas qui — ou quoi — a posé la question.

Je ne sais pas quand elle m'a été adressée. Je ne me souviens même pas avoir répondu. Mais à un moment donné, j'ai répondu « oui » à quelqu'un ou à quelque chose. Et à partir de ce moment, j'ai été sûr que l'existence était pleine de sens et que, à partir de là, ma vie, en se rendant à elle-même, avait un but. »

Si quelqu'un veut être capable d'amour, il doit commencer par dire « oui » à l'amour. Il peut le faire en examinant attentivement et froidement les mots qu'il utilise lorsqu'il parle à sa femme ou à ses enfants, à son patron et à ses collègues, à ses voisins et à ses amis intimes, à sa vendeuse et au pompiste.

Car les mots que vous utilisez vous diront ce que vous êtes, ce que vous avez vu, ce que vous avez appris et de quelle façon. Car vous êtes vos mots et ils peuvent être une longue et importante étape sur le chemin de la découverte de l'amour.

---

Si quelqu'un veut être capable d'amour,
il doit commencer par dire « OUI » à l'amour.

---

127

# 8

# Amour et responsabilité

« C'est seulement quand l'amour est
un devoir, c'est seulement alors que
l'amour est éternellement et joyeusement à l'abri du désespoir. »

— Kirkegaard

Avant que l'homme puisse aimer tous les hommes ou n'importe quel homme, sa première responsabilité dans le champ de l'amour est et sera toujours devant lui-même. L'affirmation de la Bible: « Tu aimeras ton prochain comme toi-même » présuppose l'amour de soi et laisse entendre que l'homme doive aimer les autres dans la mesure où il s'aime lui-même. Nous avons déjà discuté de cet amour de soi dans un précédent chapitre, nous n'insisterons pas sur ce point. Qu'il suffise de dire que c'est seulement dans la mesure où l'on se reconnaît une responsabilité de grandir dans l'amour de soi qu'on fera en sorte d'aider les autres à le faire. Tous les hommes sont plus ou moins liés entre eux, et chaque homme qui se rapproche de lui-même de quelque façon se rapproche des autres.

Albert Schweitzer dit à plusieurs reprises que, tant qu'il y aura un homme en ce monde qui a faim ou qui est malade ou qui se sent seul ou qui a peur, il sera responsable de cet homme. Il affirme ceci en vivant une vie en parfait accord avec cette croyance; une vie où règne l'ordre le plus parfait, le plus haut sentiment de plénitude, la plus grande joie, la dignité la plus élevée et, par conséquent, un amour éclatant.

La société n'a pas produit beaucoup de Schweitzers, mais chacun de nous connaît et accepte un certain degré de responsabilité envers soi-même et envers les autres. Le fait est qu'être humain, c'est être responsable.

Beaucoup d'individus trouvent difficile d'assumer pleinement une responsabilité soit pour eux-mêmes, soit et encore plus pour un autre individu, ou pour un groupe. Ainsi, l'idée de se sentir responsable d'une « famille humaine » leur semble inconcevable, non réaliste, une folie idéaliste. Quand l'amour est vraiment responsable, nous avons le devoir d'aimer tous les hommes. L'homme n'a pas le choix. Il doit accepter ce devoir, et quand il ne l'accepte pas, il s'aperçoit que seules s'ouvrent à lui les voies de la solitude, de la destruction et du désespoir. Assumer cette responsabilité, c'est s'engager dans le bonheur, dans le mystère et dans la croissance. C'est se consacrer à aider les autres à réaliser leur amour à travers soi. En termes simples, assumer une responsabilité face à l'amour, c'est aider les autres hommes à aimer. Être aidé dans votre démarche d'amour, c'est être aimé par les autres.

On sait que l'homme a différents moyens d'arriver à cette responsabilité d'aimer, mais les buts reviennent toujours au même, l'amour universel. Certains commencent par s'engager personnellement à fond avec un autre individu. Cette expérience leur apprendra que l'amour ne peut pas être exclusif; si l'amour est une croissance, il aura besoin de plusieurs esprits, de nombreux individus et de diverses voies à explorer. Aucun être humain ne peut lui apporter toutes ces choses. Il doit alors élargir son amour pour y inclure tous les hommes. Plus vaste est le champ de son amour, plus grande est sa croissance. L'amour de l'humanité est le développement naturel de l'amour pour une seule personne. D'un homme à plusieurs hommes.

Herbert Otto affirme: « C'est seulement dans un rapport continu qu'il y a possibilité pour l'amour de devenir plus profond et plus riche de sorte qu'il enveloppe toute notre vie et s'étend à la communauté. » C'est ainsi que seuls des rapports profonds peuvent offrir « l'aventure de découvrir la profondeur de notre amour, la dimension de notre humanité. Cela veut dire de prendre des risques physiques et émotifs personnels, d'abandonner les vieilles habitudes et d'en créer de nouvelles, d'être capable d'exprimer pleinement nos désirs tout en restant sensible aux besoins des autres, d'être conscient que chacun évolue à son propre niveau et qu'il n'a pas peur de demander de l'aide quand il en a besoin. »

D'aucuns ont senti que tout ce qui était inférieur à l'amour de tous n'était pas de l'amour du tout. Ils invoquent que celui qui n'aime pas tous les hommes sincèrement ne peut en aimer un seul profondément puisque tous les hommes sont un. Aimer tous les hommes, c'est la même chose que d'aimer chaque homme.

Kirkegaard est l'un des principaux tenants de cette opinion. Il affirme: « C'est en fait l'amour chrétien qui découvre et connaît que son prochain existe et que (...) c'est une seule et même chose (...) chacun est notre prochain. Si ce n'était pas un devoir d'aimer, alors, même le concept de prochain disparaîtrait. Mais c'est seulement quand on aime son prochain, et c'est seulement alors, que l'égoïsme de l'amour qui préfère est déraciné et que l'égalité de l'éternel est préservée. »

En se consacrant lui-même à l'humanité, Schweitzer découvre qu'elle n'est que l'extension de l'amour qu'il ressent pour chaque chose vivante. À travers l'amour d'une seule personne, Herbert Otto sent que l'on acquiert suffisamment de forces pour endosser la responsabilité de l'ensemble des hommes. Peu importe par quel bout on le prend, on découvre que l'amour n'est pas égoïste ni exclusif, mais désintéressé et compréhensif. Il demeure que le monde trouve toujours difficile d'accepter la vérité universelle. Si quelqu'un n'aime que lui-même, il est étiqueté d'égocentrique et d'égoïste. S'il ne fait que s'aimer lui-même plus un petit groupe de personnes, incluant une femme et une famille dans son amour, la société le verra comme un être vraiment aimant et fera sa louange, le qualifiant d'homme sain. Mais s'il aime tous les hommes, dans une extrême générosité, on le ridiculisera comme étant un naïf plein d'illusions et un fou.

La troisième responsabilité de l'amour, c'est le constant souci de l'orienter vers la croissance, aussi bien la nôtre que celle des autres et de ceux que nous aimons.

Antoine de Saint-Exupéry a défini l'amour comme étant « la démarche que je fais pour te ramener à toi-même ». Dans cet énoncé, il confirme sa foi dans la capacité de l'homme d'en guider un autre vers l'amour. Il laisse entendre qu'un moi en croissance porte en lui un amour en croissance.

L'amour abhorre le gaspillage, surtout le gaspillage de potentiel humain.

Deux jeunes gens, à leur mariage, ayant eu la permission de formuler eux-mêmes leurs propres voeux, ont répété: « Je t'aimerai aussi longtemps que je pourrai t'aider à croître en amour. » Il me semble que ceci est l'essence de l'amour de l'autre: lui assurer que nous sommes consacrés à sa croissance, à la réalisation de son potentiel sans limite. Dans ce couple, tous deux étaient prêts à utiliser leurs énergies combinées à s'aider l'un l'autre dans la démarche sans fin de la découverte d'eux-mêmes, puis à profiter à jamais de cette découverte et de cette connaissance en perpétuel changement. C'est seulement de cette façon que l'amour humain peut prospérer. Aussitôt que la relation amoureuse ne conduit pas l'autre à lui-même, cet amour, même s'il semble être l'attachement le plus extatique et le plus sûr que j'aie jamais connu, n'est pas un véritable amour. Car l'amour véritable est consacré à un devenir continu. Quand, pour quelque raison, ce développement s'interrompt, l'amour devient ennuyeux, amorphe et il est destiné à s'éteindre. Il pourrit. Il se détruit. Ainsi, ce qui peut sembler un début est en réalité seulement le début de la fin.

---

Aussitôt que la relation amoureuse ne me conduit pas à moi, aussitôt que, dans une relation amoureuse, je ne conduis pas l'autre personne à elle-même, cet amour, même s'il semble l'attachement le plus extatique et le plus sûr que j'aie jamais connu, n'est pas un véritable amour.

---

De quelque nature qu'elle soit, la responsabilité peut sembler intimidante et, pour cette raison, l'homme peut souvent avoir peur d'amorcer des relations vraiment profondes avec d'autres êtres humains. Une relation suppose pour lui la plus grande des responsabilités. Elle implique un fardeau, une restriction de sa liberté, rarement le contraire. Par exemple, un étudiant de la classe d'amour disait: « J'ai toujours eu peur d'une relation profonde à cause de la responsabilité qu'elle semblait imposer. J'avais peur des exigences qui me seraient faites et je craignais de ne pouvoir les rencontrer. J'ai été étonné de découvrir que, quand j'ai eu le courage d'amorcer une relation, je suis devenu en réalité plus fort. J'ai acquis deux esprits au lieu d'un seul, quatre mains, quatre bras, quatre jambes et l'univers de l'autre. En unissant mes forces à quelqu'un, j'ai obtenu deux fois la force de croître, avec deux fois plus de choix. Maintenant, il est plus facile pour moi d'aimer les autres. Je suis plus fort et j'ai moins peur. » Il avait découvert une chose importante.

Une autre fonction de l'amour, c'est d'engendrer la joie. La joie fait toujours partie intégrante de l'amour. Il y a de la joie dans chaque acte de la vie, si répétitif ou si ordinaire qu'il soit. Travailler en amour, c'est travailler dans la joie. Vivre en amour, c'est vivre dans la joie. Vous pouvez ne pas avoir devant vous à vivre la journée la plus créative et la plus satisfaisante mais vous savez que vous devez la vivre. Vous pouvez faire de cette journée une tâche, monotone, énervante, frustrante, une perte de temps. Ou vous pouvez entreprendre la même journée avec énergie, enthousiasme et détermination pour en faire une des meilleures de votre vie, pour vous et ceux qui vous entourent; comme dit le dicton populaire, il faut vivre chaque jour comme s'il « était le dernier jour de votre vie ». C'est la même journée, exigeant de vous les mêmes heures et la même énergie. La différence, c'est que vous pouvez décider de la vivre dans la joie ou dans la misère. Pourquoi ne pas choisir la joie?

Dans un de mes cours, je demande à mes étudiants d'écrire quelque chose sur le sujet suivant: « Si je devais mourir demain, comment est-ce que je vivrais ce soir? » Les réponses à cette question foisonnent toujours d'idées. En faisant cet exercice, les étudiants découvrent que, de bien des façons, ils perdent du temps, un temps précieux. Pour eux, jeunes comme ils sont, la mort est loin; cependant, même pour celui qui a la plus longue espérance de vie, le temps de cette vie est limité. Pourquoi alors ne pas le vivre dans la joie?

L'amour responsable a besoin de s'exprimer. L'amour est communication. Comme l'homme doit assumer la responsabilité d'exprimer sa joie, de la même manière il doit laisser connaître son chagrin et sa solitude. En réalité, il semble que plus quelqu'un est désespéré, plus il crée de défenses, de rationalisations, et plus il construit de murs derrière lesquels il ronchonne. Il est incompris, il n'est pas aimé, il est exploité, il est manipulé. En d'autres termes, plus il semble avoir besoin d'amour et de compréhension, plus il écarte toute possibilité d'en recevoir. Le « syndrome de la moue » est l'exemple parfait de cette attitude. Si on a un besoin, on doit le laisser connaître aux autres sinon personne n'y répondra jamais. Même les amoureux ne peuvent pas lire dans l'esprit. Souvent, lorsque les gens se sont permis d'exprimer un besoin, ils sont surpris de la réaction qu'ils reçoivent. Par exemple, « Je n'avais pas idée que tu te sentais seul. » « Tu semblais toujours si auto-suffisant, si maître de toi, si satisfait. Je suis vraiment content de voir que tu es humain. » À mesure que quelqu'un montre aux autres qu'il les aime, il doit leur révéler son besoin d'amour. Vous ne pouvez vous attendre à ce que les gens, même les plus proches de vous, connaissent et comprennent vos besoins et sentiments non exprimés. Si vous voulez que les gens vous connaissent, il dépend de vous de vous communiquer à eux.

L'amour responsable est acceptation et compréhension. L'amour croît à différents degrés et dans différentes directions chez tous les individus. Par exemple, l'amour dans le mariage, ou dans toute relation étroite, est le processus de croissance main dans la main, mais séparément. Séparément parce qu'il est impossible de s'attendre à ce que deux individus, même en amour, croissent au même rythme et dans la même direction. Cela veut dire que l'un peut ne pas toujours comprendre et apprécier la croissance de l'autre et son comportement correspondant. Mais l'amour nous aide à accepter le fait que l'autre se comporte selon ses capacités du moment. Lui demander d'agir autrement, c'est lui demander l'impossible.

L'amour responsable est sympathie. Le mot sympathie, même s'il a peut-être été galvaudé, est toujours un grand mot. Il signifie « sentir » avec. Il n'implique pas la « compréhension totale ». Nous savons que nous ne pouvons jamais vraiment comprendre l'autre, mais puisqu'en amour nous avons tant de points communs positifs, il y a de l'espoir. Si un comportement est contraire à nos attentes, nous ennuie ou nous déçoit, on doit le voir simplement comme une étape passagère. L'amour est toujours changement et apprentissage. L'amour offre la plus grande flexibilité. Il nous demande seulement d'accepter le comportement tel qu'exprimé en sachant que ce comportement n'est pas permanent. Ce n'est pas une question de pardon; en un sens, le pardon est de la condescendance. Il s'agit d'accepter la personne inconditionnellement pour ce qu'elle est à tel moment, sachant que ce qu'elle est aujourd'hui n'est pas ce qu'elle sera demain. Celui qui aime regarde, écoute, attend, sent, s'adapte, se réadapte et change.

Si deux personnes en amour se séparent, c'est généralement dû au fait que l'une ou l'autre refuse de croître ou de changer. Dans ce cas, celui qui aime peut ou bien décider de s'ajuster au comportement de l'autre, ou l'ignorer, ou, après avoir tout essayé, s'en éloigner et partir. Vous pouvez poser la question: « Mais s'en éloigner, est-ce vraiment aimer? » En réalité, oui. Car si quelqu'un qui aime reste dans le chemin d'un autre, c'est qu'alors il ne l'aime plus.

L'amour responsable a comme base universelle l'humanité de l'homme. Au sens le plus profond, nous avons tous un noyau d'humanité. La plus grande chose qu'un homme puisse être, c'est un être humain avec les forces et les faiblesses que cela implique. Les plus grands personnages du monde ont souvent été les plus « humains » et ont été les plus humbles devant ce fait. Sur terre, Jésus a pleuré, il a ressenti de la solitude, de la déception, de la douleur et du désespoir. C'est seulement de cette façon qu'il pouvait comprendre ce que c'est que d'être un homme. Bouddha connaissait les caractéristiques humaines les plus fondamentales: confusion, égocentrisme, orgueil, envie, et même l'indigeston. Gandhi a ressenti l'humiliation,

l'épuisement, les privations physiques, la maladie, la fragi-
lité, la torture, et il a souffert de ce qu'il a appelé « l'accident temporel de ma propre personnalité ». À divers
degrés, nous avons tous ressenti ce que des grands hommes
comme Jésus, Bouddha et Gandhi ont ressenti; en cela,
nous sommes en sympathie avec eux, sur un terrain
commun.

Nous avons souvent entendu dire ou dit nous-mêmes:
« C'est humain. » Nous le disons parce que nous savons
que la perfection est un concept dont pour la plupart nous
sommes loin. En même temps, nous devons nous arranger
de ce que nous avons. Mais il est facile de comprendre
que ce n'est pas plus facile pour un père en Inde de voir,
impuissant, sa famille mourir de faim que pour n'importe
quel père au monde. Les Africains sont tout aussi capables
de bonheur que les Péruviens. Les riches sont tout aussi
susceptibles de pleurer que les pauvres. Les sages sont
tout aussi capables de confusion que les retardés mentaux.
En d'autres termes, c'est l'humanité de l'homme qui nous
donne la base commune à partir de laquelle nous pouvons
éprouver de la sympathie en amour.

C'est la sympathie qui nous rend responsables en
amour de tous les hommes. Chacun de nous meurt un peu
avec chaque homme qui meurt dans le monde. Avec chaque
personne qui souffre, nous souffrons aussi un peu. Avec
chaque enfant qui naît dans le monde, nous devenons tous
plus riches en possibilités. Nous sommes tous inconditionnellement comme l'autre; nous ne sommes qu'en des terres
différentes, jouant des rôles différents dans des costumes
divers devant des décors variables sur diverses scènes
devant des auditoires étrangers. Il serait intéressant de
pouvoir changer souvent de costume et de connaître
plusieurs scènes au cours de notre vie. Cela nous donne-
rait une plus grande pénétration de l'universalité de l'hom-

me. Nous existons pour chaque individu comme chaque individu existe pour nous tous.

Si nous étions tous nus et qu'on nous demandait de fermer les yeux et de sentir, la porteuse de fleurs pourrait être confondue avec la reine, le fou du roi pourrait passer pour le roi lui-même et le président pourrait être pris pour un travailleur immigrant ou un militant syndical en colère. Il n'y a peut-être pas de plus grande connaissance que celle-ci: toute personne au monde, à n'importe quel niveau, est fondamentalement un être humain. Évincer quelqu'un, c'est perdre toute possibilité offerte par l'intimité de le connaître profondément et de se sentir sincèrement avec lui.

L'amour responsable partage. En réalité, tout homme ne possède que lui-même. Le dicton disant: « Vous ne l'emporterez pas en paradis », bien que très usé, est particulièrement vrai. On ne peut tenir à rien ni à personne. L'amour partage avec les autres. Quel est le but de la connaissance si elle n'est pas offerte aux étudiants? Quel est le sens de la beauté si elle n'est pas proposée à l'expérience de chacun? À quoi sert l'amour s'il n'est pas donné librement? L'amour est toujours un partage actif. Si quelqu'un a de l'amour à donner, il peut le répartir entre tous dans le monde et il aura toujours le même amour qu'au départ. Nous ne perdons jamais rien en partageant, car rien n'est jamais exclusivement nôtre au départ. En fait, l'amour ne prend tous son sens que s'il est partagé.

Une expérience intéressante a été menée en classe de sociologie d'un collège. Le professeur traitait du processus du don et de ses liens avec la responsabilité. Il a demandé à la classe de répondre par un don de dix cents à l'une des trois situations de besoin suivantes. Premièrement, une très grave sécheresse sévissait au sud des Indes et on avait besoin d'argent. Des femmes et des enfants mouraient; les hommes étaient découragés. Les aider serait un combat pour la vie elle-même. En second lieu, ils pouvaient offrir leurs dix cents à un fonds universitaire destiné à aider un

140

étudiant noir méritant. Cet étudiant avait dû abandonner ses études à cause de l'insigne pauvreté de sa famille; le seul remède à cette situation était de rassembler immédiatement une somme d'argent. Troisièmement, ils pouvaient contribuer à un fonds destiné à acheter une nouvelle photocopieuse pour les étudiants. Cet appareil rendrait sûrement leur vie scolaire beaucoup plus facile. Les résultats ne seront pas une surprise pour beaucoup; ils seront un grand choc pour quelques-uns. Plus de quatre-vingt-cinq pour cent des étudiants, par scrutin secret, ont versé leur dix cents pour l'achat d'une photocopieuse à leur usage immédiat. Environ douze pour cent versaient leur contribution pour que l'étudiant noir poursuive ses études. Seulement trois pour cent des étudiants cédaient au besoin le plus urgent, sauver des vies humaines aux Indes.

Plus le problème était éloigné, moins on sentait le devoir de partager. La nature du besoin, ou son urgence, ne semblait pas importer. Ce n'était pas le « Je » généreux mais le « Je » égoïste qui laissait échapper l'occasion de donner la vie aux Indes ou l'instruction à l'étudiant noir. C'était le « Je » égoïste qui ignorait le fait qu'en fin de compte, il gagnait très peu. Toutes les photocopieuses du monde valent-elles une seule vie humaine? Ne pas prendre conscience de ce fait, c'est donner de la valeur à des « choses » vides de sens qui, quand la mort nous rendra fatalement visite, devront être laissées à la porte.

Finalement, l'amour responsable grandit même au-delà de l'espoir. Pouvoir espérer est sûrement un des secours vitaux les plus importants pour l'homme. Dans l'espoir, l'homme manifeste, en même temps que son profond respect, sa foi en la capacité de changement de l'homme, sa croyance en « l'intégrité de l'univers », en de nouveaux commencements, en des lendemains passionnants. L'espoir est essentiel à l'homme, car l'homme n'est pas encore assez courageux pour vivre sans espoir. Vivre sans espoir le dévasterait. L'homme n'a pas encore appris à travailler pour la joie du travail, à apprendre par goût de la croissance, à créer pour l'expression et l'exaltation de l'acte, ou à aimer simplement pour le plaisir d'aimer; il exige encore une récompense. Jusqu'à ce que l'homme apprenne à faire ces choses, l'espoir devra être sa force motivante fondamentale. Dans le travail, il exigera de meilleurs salaires et de meilleurs titres; dans le domaine de la connaissance, il exigera des diplômes; comme créateur, il exigera la reconnaissance; en amour, il exigera la sécurité. Jusqu'à ce qu'il admette que chacune de ces choses contient sa propre gratification, il aura besoin d'espoir comme soutien. Il n'y a rien de mauvais dans l'espoir en amour, c'est simplement une chose qui vient en second lieu.

En même temps, il est admis que l'espoir est une force créatrice. Car, comme Norman Cousins l'a dit, « L'espoir est le commencement des projets. Il donne une destination aux hommes, un sens de l'orientation pour s'y rendre et l'énergie d'entreprendre. Il étend le domaine des sensibilités. Il donne des valeurs propres aux sentiments aussi bien qu'aux faits. » Cet espoir implique « un réveil de l'imagination humaine, une ouverture sur une vie comme l'homme pourrait l'aimer: le plein usage de son intelligence pour intégrer la santé et la sensibilité à son univers et à son art, l'importance de l'individu, sa capacité de créer de nouvelles institutions, de découvrir de nouvelles approches, de sentir de nouvelles possibilités. »

Tout ceci est certainement vrai. Mais l'amour va au-delà de l'espoir. L'espoir n'est que le commencement; l'amour, c'est pour toujours.

---

L'homme n'a pas d'autre choix que d'aimer.
Car lorsqu'il n'aime pas, il trouve que ses choix
le laissent dans la solitude, la destruction
et le désespoir.

---

# 9

# L'amour et le respect des besoins

« Un esprit ne peut être altéré ni par le lieu ni par le temps; l'esprit est son propre lieu et peut en lui-même faire de l'Enfer un Paradis, du Paradis un Enfer. »

— John Milton

L'homme a des besoins émotifs et physiques. Ses besoins physiques, même s'il passe la majeure partie de son temps — en fait, la majeure partie de sa vie — à les écouter, sont les plus simples à satisfaire. L'homme n'a besoin que d'une petite quantité de nourriture — pour la plupart, nous mangeons beaucoup trop —, d'un abri contre les éléments — et non des grandes maisons où nous vivons —, de vêtements en hiver — beaucoup se contentent encore de porter une feuille de figuier dans certaines parties du monde — et, naturellement, d'eau et de nourriture. Tout ce qui est au-delà est du luxe, bon à avoir naturellement, par amour du confort, mais pas nécessaire à la survie. Les deux tiers de l'humanité l'attestent encore.

Mais l'homme a aussi d'autres besoins: des besoins émotifs. Ceux-ci également sont peu nombreux, mais le moindre d'entre eux est aussi important que les exigences physiques, quoique moins facile à satisfaire. Si on ne les satisfait pas, ils peuvent être aussi insupportables que la faim physique, le manque d'abri ou la soif. La frustration, l'isolement et l'angoisse engendrés par des besoins émotifs non satisfaits peuvent, comme dans le cas de la privation physique, entraîner la mort ou, ce qui est un degré de mort vivante, la névrose et la psychose.

Et pourtant, conscient de cela, l'homme continue de ne consacrer qu'une petite partie de son temps et de ses activités à répondre à ses besoins émotifs et à assister les autres dans la satisfaction de leurs besoins. Beaucoup estiment que les besoins émotifs ne méritent pas qu'on y consacre le même temps qu'on passe à gagner un salaire, salaire propre à satisfaire les besoins matériels.

Les besoins psychologiques fondamentaux de l'homme sont les suivants: il demande à être vu, reconnu, apprécié, entendu, entouré, satisfait sexuellement. Il doit avoir la liberté de choisir sa propre voie, de croître à son rythme et de faire ses propres erreurs pour apprendre. Il a besoin de s'accepter lui-même, d'accepter les autres et d'être accepté par eux. Il désire être un « je » aussi bien qu'un « nous ». Il s'efforce de croître pour devenir l'individu unique qu'il est.

L'amour reconnaît tous ces besoins, sinon ce n'est pas de l'amour. S'ils ne sont pas satisfaits, l'individu peut ne jamais se réaliser totalement et demeurer caché, en partie, même de lui-même. Cela fait penser à un arbre dont certaines branches, privées de soleil, ne se développeraient jamais de façon normale, comme le reste de l'arbre.

Le président d'une banque, par exemple, peut être un membre important de la communauté, efficace, intelligent, accepté, respecté, impliqué. Sous tous rapports, apparemment, il est comme l'arbre fort. Mais sa femme sait que, pour ce qui est de ses habitudes alimentaires, il a les goûts limités d'un enfant, et qu'au lit, il est impuissant. Quelque part au cours de sa croissance émotive, il a connu des besoins qui n'ont pas été satisfaits. Afin de continuer sa croissance, il a mis ces besoins de côté — psychologiquement parlant —; ses habitudes alimentaires et sexuelles sont demeurées au stade enfantin alors que le reste de sa personnalité allait vers la maturité. Naturellement, les dynamiques en cause sont infiniment plus complexes et plus subtiles. Mais le point important que je veux soulever ici, c'est le fait que cet homme souffrira à cause de besoins insatisfaits.

L'homme a besoin d'être vu, entendu et entouré d'affection. L'amour reconnaît ces besoins. Chaque individu semble de nos jours beaucoup trop occupé pour s'arrêter à regarder ou à écouter quelqu'un, même dans sa propre famille. C'est ce que j'appelle le syndrome de « l'homme invisible ». Quelqu'un se trouve directement devant vous, chaque jour, aux repas, au salon, même au lit. Vous savez qu'il est là mais vous ne le voyez pas, vous ne le regardez pas.

Si vous aimez quelqu'un, vous le regarderez attentivement. Il change chaque jour en une très belle progression que vous raterez certainement si vous n'apprenez pas à observer. Quand avez-vous regardé le visage de votre femme ou de votre mari, celui de votre enfant ou de votre mère? À propos, depuis combien de temps ne vous êtes-vous pas regardé vous-même attentivement? Pas en vous rasant ou en faisant votre toilette ou en mettant de l'ombre à paupières, mais dans un moment de paix, seulement pour regarder?

Le Noir américain connaît ce phénomène d'être invisible depuis des années, à tel point qu'il s'est appelé lui-même « l'homme invisible ». Les existentialistes ont basé toute une philosophie sur l'idée de la futilité du combat personnel pour la reconnaissance, pour la recherche de l'affirmation et du sens de son existence véritable. Celui qui aime reconnaît le besoin qu'ont les autres d'être vus. Il regarde. L'homme a besoin tout autant d'être écouté. J'appelle cette lacune le syndrome du « cocktail party ». Voici des tas de gens parlant tous très joyeusement les uns devant les autres, échangeant des propos banals. Beaucoup de choses sont dites mais peu sont entendues et écoutées. On peut aussi bien dire qu'il s'agit de faire vibrer l'air — une vibration ne devient un son que si elle est entendue par l'oreille; les vibrations sont alors traduites et interprétées en symboles par le cerveau. Le cerveau joue peu de rôle dans un cocktail party, à part celui d'organe à engourdir.

Même quand quelqu'un écoute vraiment une autre personne, il arrive souvent qu'il n'entende que ce qu'il souhaite. Il a le choix de rester sourd à ce qui le rendrait mal à l'aise.

Dans un livre intéressant de Alexandra David-Neel et Lama Yongden, *Les Enseignements de la tradition orale secrète dans les sectes bouddhistes tibétaines,* les auteurs nous racontent comment ils ont approché un savant tibétain dans le but d'écrire leur livre. La réponse du sage est amusante et elle illustre bien ce que j'essaie de prouver. Il dit: « Perte de temps. La grande majorité des lecteurs et des auditeurs sont semblables à l'échelle de la planète. Je ne doute pas que les gens de votre pays soient comme ceux que j'ai rencontrés en Chine et en Inde, et que ces derniers soient en tous points semblables aux Tibétains. Si vous leur parlez de vérités profondes, ils bâillent, et s'ils osent, ils vous quittent, mais leur contez-vous des fables insensées qu'ils sont tout yeux tout oreilles. Ces gens souhaitent que les doctrines qu'on leur enseigne, religieuses, philosophiques ou sociales, soient agréables, qu'elles soient en accord avec leurs propres idées, qu'elles satisfassent leurs penchants, qu'en fait ils se retrouvent en elles et qu'ils se sentent approuvés par elles. »

Ce qui ajoute à la confusion, c'est que les mots ont souvent un sens différent selon les personnes. Ceci produit parfois des phénomènes étranges que Timothy Leary appelle « mon jeu d'échec essayant de communiquer avec ton jeu de monopoly ». Cette situation a été merveilleusement décrite par Edward Albee dans *Un rêve américain* qui s'ouvre sur le dialogue suivant entre un homme et sa femme: elle contant dans le menu détail un épisode de son shopping, lui à mille lieues de là dans ses propres pensées.

Ses seuls signes de ponctuation correspondent aux moments où elle s'arrête de parler pour lui demander de répéter ce qu'elle a dit. Elle veut être certaine qu'il a entendu. Il est évident qu'il n'a pas « écouté » un traître mot, mais il répète tout à la perfection. Les auditoires trouvent cette scène extrêmement amusante. Il est étrange qu'ils ne pleurent pas puisque la plupart d'entre nous nous retrouvons jouant cette même pièce chaque jour de notre vie. Peut-être que si nous écoutions un interlocuteur, si nous l'écoutions vraiment, nous saisirions sa joie et son cri. L'amour écoute. L'amour entend.

L'amour touche, l'amour caresse. Les manifestations physiques de l'amour sont nécessaires au bonheur, à la croissance et au développement. Nous avons mentionné précédemment que le jeune enfant a besoin d'être caressé, sans quoi il mourra, même si tous ses autres besoins biologiques sont satisfaits. L'affirmation de Freud selon laquelle le manque de gratification sensuelle est à la source de toute maladie mentale a rencontré diverses interprétations au point même de le faire appeler « le vieux satyre ». Le sens qu'il donnait à gratification sensuelle prenait toute son extension depuis celle de la mère nourrissant son enfant, le langeant, jusqu'aux expériences sexuelles les plus passionnées, en passant par tous les degrés intermédiaires de gratification physique. Même une poignée de main peut être répertoriée comme gratification sensuelle. À n'importe quel degré, et nous espérons que tous les hommes prendront le temps d'expérimenter toute la gamme, l'homme a besoin d'être touché. La force du désir sexuel en témoigne. Chez certaines personnes, celui-ci devient si important qu'il régente leur vie entière. Des royaumes se sont construits et se sont écroulés, des guerres ont été déclarées, des meurtres ont été commis à la seule fin de quelque union sexuelle: souvent sans amour au sens propre du terme, seulement par stricte passion.

L'amour n'est pas la sexualité, même si une gratification sensuelle à des degrés variables fait toujours partie de l'amour. Essayer d'écrire un livre sur l'amour sans égard à l'importance de la sexualité serait absurde. Il est impossible d'en arriver à une situation où l'on aime profondément et sincèrement sans que se manifeste le désir de quelque forme de gratification sensuelle. Nos coutumes bannissent le moindre contact physique, même superficiel, au point que des lois le défendent et que plusieurs ont renoncé à toute forme de contact physique dans l'amour qui ne soit pas le contact sexuel purement animal. Le simple choix de serrer ou non la main d'une personne de l'autre sexe devrait être, selon Emily Post, laissé à la discrétion de la femme. Si la femme tend la main, l'homme doit l'accepter. Mais elle est tout aussi bien « fondée » à ne pas le faire. Et c'est ainsi que nous nous éloignons les uns les autres à travers les lois aussi bien que les convenances.

On ne doute pas de la réalité de l'autre quand on le touche, quand on sent sa peau sur la nôtre, fût-ce pour un moment très bref. Je suis continuellement en rupture avec les convenances puisque je tends la main aussi bien aux femmes qu'aux hommes; je provoque des regards horrifiés quand je retiens leur main plus longtemps qu'il n'est acceptable ou bien couvre chaleureusement leur main de mon autre main libre. Certains sont effrayés, ils me jettent des regards étonnés, « Où veut-il en venir? », mais ce geste vise à dire aux deux individus que nous sommes humains, en train d'avoir un rapport vrai. Cela peut amener une nouvelle affirmation philosophique: je touche, donc je suis. Il est certainement peu de gens qui ne trouvent pas agréable d'être touché et de toucher les autres. J'ai parfois rencontré des gens qui me disaient: « S'il vous plaît, ne me touchez pas, je préférerais n'être pas touché. » Évidemment, c'est leur droit, qui doit être respecté. Il n'empêche que l'amour est physique, il touche.

## En amour, chaque homme est son propre défi.

L'amour a besoin de liberté. Nous avons mentionné précédemment que, dans toutes les acceptions du terme, l'amour est toujours libre. Il est donné et reçu avec une égale liberté, mais il a aussi besoin de liberté pour grandir. Chaque homme croissant en amour trouvera sa propre voie. On ne peut forcer les autres à emprunter notre voie; on peut seulement les encourager à trouver la leur. Carlos Castaneda, dans ce livre fascinant sur les Indiens Yaquis, *Les Enseignements de Don Juan*, cite un propos de ce dernier: « Tu dois toujours garder à l'esprit qu'un chemin n'est qu'un chemin; si tu sens que tu ne dois pas le suivre, tu ne dois pas y demeurer pour aucune considération... Chaque chemin n'est qu'un chemin, il n'y a pas d'offense à toi-même ni aux autres si tu le quittes, si c'est ce que ton coeur te dit de faire. Mais ta décision de rester ou de quitter le chemin doit être libre de toute peur et de toute ambition. Je t'avertis: Regarde chaque chemin attentivement et résolument. Essaie-le aussi souvent que tu le croies nécessaire. Pose-toi ensuite, et à toi seulement, une seule question: Est-ce celui-là... Ce chemin a-t-il un coeur? Tous les chemins sont semblables, ils ne mènent nulle part. Il y a des chemins qui traversent la broussaille, ou qui vont dans la broussaille. La question est de savoir si ce chemin a un coeur. S'il en a un, ce chemin est bon; s'il n'en a pas, il n'est pas utile. Les deux ne mènent nulle part mais l'un a un coeur et l'autre n'en a pas. L'un rend le voyage agréable; et si tu le suis tu ne feras qu'un avec lui. L'autre te fera maudire ta vie. L'un te rendra fort; l'autre t'affaiblira. »

Chaque individu peut seul juger pour lui-même quel est le chemin qui a pour lui du coeur. Là où les chemins se rencontrent, il y a union; quand les chemins sont parallèles, il y a la paix, pourvu que chaque chemin respecte l'autre. L'amour ne donne jamais de direction, parce qu'il sait que d'attirer un individu hors de son propre chemin, c'est lui imposer notre chemin qui ne sera jamais vraiment bon pour lui et qui va certainement l'affaiblir. Il doit être libre d'aller dans sa propre direction, à sa façon à lui, à son propre rythme. Il doit être libre de faire ses propres erreurs et d'en retirer l'enseignement qu'il peut. Notre amour est là pour le soutenir, lui donner la force de continuer à bien chercher, dans la joie, et lui offrir l'encouragement au jour le jour dont il aura besoin. Toute l'aide que nous lui apportons ne peut lui servir qu'à trouver le moi qu'il cherchait depuis longtemps. L'amour est son guide et non son chef. Chaque homme est son propre chef. L'amour ne reflète jamais celui qui donne parce que, s'il demeure quelque trace de notre assistance, c'est qu'à ce moment-là nous avons empêché l'être aimé de parcourir son propre chemin et qu'il n'a pas été vraiment libre. Il a son chemin et l'amour l'encourage dans cette direction même si ce chemin ne rencontre pas celui que nous désirons. Le maintenir dans ce que nous croyons être le bon chemin pour lui, c'est l'entraîner dans les ténèbres, et comme dit Thoreau: « Les oiseaux ne chantent pas dans les grottes. »

L'amour écoute ses propres besoins. La société déborde de règles, de règlements, de guides pour trouver l'amour et la reconnaissance sociale. Souvent, l'homme est si absorbé par ce que les autres croient ou ce que les autres penseront ou diront qu'il cesse d'entendre ce qu'« il » croit, pense ou dit. La société lui dira qu'il doit vivre dans un certain type d'habitation. Pour sa part, il a toujours voulu vivre dans un iglou modifié. S'il construit un iglou, les gens penseront qu'il est fou. Alors, il construit un ranch dont le style le rendra fou, lui. Il aime que ses murs soient peints de couleurs chaudes, peut-être orange. Il a toujours aimé l'orange, même quand il était enfant. Mais les décorateurs-ensembliers lui disent: « Personne ne peint ses murs orange. » Que le vert avocat est délicieux et très dans le vent. Aussi se retrouve-t-il avec ses murs peints en vert et sur le conseil du décorateur se choisit-il des tentures d'un violet — « tout à fait épatant » — et un tapis puce — « la toute dernière nouveauté ». Ainsi a-t-il des murs verts, des rideaux violets et un tapis puce, et chaque fois qu'il entre dans cette pièce, il en devient malade, mais les voisins et Marie-Claire Maison ou Decor-Mag approuvent, cela doit donc être correct. Les habitations sont construites pour les entrepreneurs, les vêtements sont dessinés par des couturiers sadiques, la beauté est définie par Hollywood et Paris et l'individu se meurt. Il devient toutes ces choses que les autres lui dictent, souvent même sans en être conscient.

Nous sommes coincés dans les banalités dont on nous dit qu'elles doivent certainement nous apporter l'amour. Chaque jour, il nous est de plus en plus difficile de sortir de la salle de bain. Nous nous levons; nous faisons des exercices pendant vingt minutes; ensuite nous prenons notre douche; nous nous séchons, nous utilisons des talcs et des crèmes pour notre peau, nous nous brossons les dents en utilisant ensuite un rince-bouche pour être doublement « sûrs », nous nous brossons les cheveux 200 fois après nous être appliqué un shampooing, un traitement assouplissant, après avoir utilisé le séchoir, le fer à friser et nous être enfin coiffés. Nous nous aspergeons ensuite de désodorisant. Nous nous coinçons dans des vêtements, nous poussons nos pieds dans des chaussures, nous faisons notre lit, nous attrapons une tasse de café au vol et nous sommes fin prêts pour la journée. Pour certains, cette routine se répète en sens inverse chaque soir avant le coucher. Résultat: nous ne savons désormais plus ce que sentent les êtres humains et nous sommes révulsés par les odeurs humaines naturelles. Nous sommes si propres que nous n'avons plus guère de résistances contre les microbes aussitôt que nous sortons de notre propre pays. Nous sommes si occupés à faire ce qu'il faut que nous n'avons pas le temps de faire ce que nous voulons. Je ne prêche pas un retour à une hygiène sommaire, ni l'assassinat en masse de tous ceux qui écrivent des livres d'étiquette qui nous compliquent l'existence, ni l'exil de tous les couturiers, décorateurs et autres conseillers; je ne fais qu'inviter l'homme à écouter le bruit de son propre tambour, sans quoi il marchera au pas hors de lui-même.

L'amour est à l'écoute de ses propres besoins et savoure sa singularité. Il déteste le fait que les hommes sont en train de devenir de plus en plus uniformes: les temps ne sont pas loin où le seul moyen d'identifier un individu sera d'utiliser son numéro d'assurance sociale.

Ainsi, l'amour reconnaît les besoins physiques et émotifs. Il voit aussi bien qu'il regarde, il regarde aussi bien qu'il voit. L'amour touche, l'amour caresse, l'amour se délecte dans la gratification sensuelle. L'amour est libre et ne peut se réaliser s'il n'est pas laissé libre. L'amour découvre son propre chemin, décide de son propre rythme et voyage à sa façon. L'amour reconnaît et apprécie son caractère unique. L'amour n'a pas besoin de reconnaissance, parce que,si ses effets sont identifiables, ce n'est pas du tout de l'amour véritable.

# 10

# De la force pour aimer

« C'est le faible qui est cruel. On ne
peut attendre de douceur que de la
force. »

— Leo Rosten

Vivre en amour est le plus grand défi de la vie. Cela exige plus de subtilité, de sensibilité, de compréhension, d'acceptation, de tolérance, de connaissance et de force que tout autre effort humain ou que toute autre émotion, car l'amour et le monde actuel semblent être devenus deux grandes forces contradictoires. D'autre part, l'homme peut savoir que ce n'est qu'en étant disponible qu'il peut vraiment offrir et accepter l'amour. En même temps, il sait que s'il affiche cette disponibilité dans la vie quotidienne, il court souvent le risque d'être abusé, exploité. Il sent que, s'il tient une part de lui-même en réserve pour protéger cette vulnérabilité, il recevra toujours en retour l'amour potentiel qu'il donne. Aussi la seule chance qu'il a de vivre un amour profond, c'est de donner tout ce qu'il a. Et pourtant, il découvre que, lorsqu'il donne tout ce qu'il a, il n'obtient souvent en retour que peu de chose ou rien du tout.

Il sait qu'il doit avoir confiance en l'amour et y croire, car c'est la seule approche possible. Pourtant, s'il exprime sa croyance et sa confiance, la société n'hésite pas à abuser de lui et à le prendre pour un fou. S'il espère en l'amour et sait que c'est seulement grâce à cet espoir qu'il peut donner corps au rêve d'une humanité tout-amour, la société le ridiculise et le traite de rêveur idéaliste. S'il ne recherche pas l'amour frénétiquement, on le soupçonne d'être impuissant et « excentrique ». Pourtant, il sait que l'amour n'a pas à être recherché, il est partout, et sa recherche est une charade, une désillusion. S'il décide de passer chaque moment de sa vie à vivre en amour, sachant qu'il est le plus réel et le plus humain lorsqu'il vit l'amour, la société le considère comme un romantique simple d'esprit. L'amour et les habitudes du monde réel semblent à l'opposé, à des kilomètres de distance. Inutile de se demander pourquoi tant de gens n'ont pas le courage de tenter de traverser ce vide: en pratique, ce vide semble insurmontable. D'un autre côté, l'homme a la compréhension nécessaire pour croître en amour et le désir de le faire, mais la société rend cette connaissance difficile à mettre en pratique. La réalité de la société diffère de celle de l'amour. La force nécessaire pour croire en l'amour lorsqu'on est mis en échec sur un terrain d'expérience décourageant dépasse ce que la plupart des gens peuvent accepter. Aussi trouve-t-on plus facile de mettre l'amour de côté, de le réserver à des gens spéciaux en des occasions spéciales et de faire chorus avec la société pour s'interroger sur la supposée réalité de l'amour.

Pour être ouvert à l'amour, pour avoir confiance et pour croire en l'amour, pour être plein d'espoir et vivre en amour, vous avez besoin de la plus grande force. Cette condition est si rare dans la vie réelle que les gens ne savent pas comment y faire face, même lorsqu'ils la rencontrent. Ils crucifient un Jésus, assassinent un Gandhi, décapitent un Thomas More et empoisonnent un Socrate. La société laisse peu de place à l'honnêteté, à la tendresse, à la bonté et à la compassion. Ces qualités sont des obstacles sur « le chemin du monde ». Ce phénomène a été à la base de grands ouvrages en littérature, de *La République* de Platon à *L'Idiot* de Dostoievski, du *Christ recrucifié* de Kazantzaki au *Nazarin* de Luis Bunuel. C'est presque un jeu. Les gens recherchent une figure à exalter.

Ils la choisissent soigneusement, se prosternent à ses pieds, pour ensuite prendre le plus grand plaisir à abattre leur idole. C'est comme s'il ne pouvaient supporter la perfection, comme si elle les obligeait à réfléchir sur eux-mêmes, à se mobiliser vers le changement, idée qui leur est pénible et les met peut-être mal à l'aise. Il est plus facile de ne pas voir la perfection ou de ne pas s'en occuper. On peut alors se satisfaire de ses propres imperfections.

C'est un fait que l'homme n'évolue pas dans un monde de gens qui aiment. Ayant affaire au monde des hommes, il est plus que probable qu'il aura affaire à l'égoïsme, à la cruauté, à la déception, à la manipulation et au parasitisme. S'il attend du monde réel extérieur à lui quelque renforcement, il sera déçu et découvrira vite que la société et les hommes ne sont rien moins que parfaits. Pour faire face à ce qu'il découvre et demeurer en amour, il lui faut de la force. Il ne survivra que si cette force réside en lui. Il ne doit pas mettre son amour au-dessus du monde, et s'il en est rejeté, blâmer le monde de son insensibilité. S'il ne trouve pas l'amour, il ne peut s'en prendre qu'à lui-même: l'amour doit être solidement inscrit en lui. Il doit se consacrer à l'amour, être résolu dans son amour et inébranlable dans son amour. Il n'est pas nécessaire que, comme le *Candide* insensé de Voltaire, il ne voie que du bien là où il existe du mal. Il doit aussi reconnaître le mal, la haine et la bigoterie comme des phénomènes réels, mais il doit voir l'amour comme une force plus grande. S'il en doute un seul instant, il est perdu. Son seul salut est de se consacrer à l'amour, tout comme Gandhi s'est consacré à la non-violence, Jésus à l'amour, Socrate à la vérité et More à l'intégrité. C'est seulement alors qu'il aura le pouvoir de combattre les forces du doute, de la confusion et de la contradiction. Il ne peut attendre renforcement et assurance de rien ni de personne, sauf de lui-même. Son cheminement sera peut-être solitaire mais il le sera moins s'il comprend ce qui suit:

Son premier devoir est de favoriser l'épanouissement de son véritable moi.

D'une importance égale au premier, son second devoir est d'aider les autres à devenir forts, à se perfectionner comme individus uniques.

Il fera de son mieux pour donner à chacun l'occasion de manifester ses sentiments, d'exprimer ses aspirations et de faire partager ses rêves.

Il doit voir les forces dites du « mal » comme une émanation de l'humanité souffrante, qui n'en est pas moins « humaine » et engagée dans la même démarche vers l'épanouissement.

Il doit combattre ces forces du mal avec pour seule arme un amour actif profondément voué à la libre quête d'auto-découverte de chacun.

Il doit croire que ce n'est pas le monde qui est laid, amer et destructeur, mais que c'est ce que l'homme en a fait qui fait apparaître le monde ainsi.

Il doit être un modèle. Pas un modèle de perfection, état peu souvent atteint par l'homme, mais un modèle d'humanité. Car être un véritable humain est son plus bel objectif.

Il doit s'efforcer d'aimer tous les hommes même s'il n'est pas aimé d'eux. Il n'aime pas pour être aimé, il aime pour aimer.

Il ne doit rejeter aucun homme, car il sait qu'il fait partie de chaque homme et que rejeter ne fût-ce qu'un homme serait se rejeter soi-même.

Il doit savoir que, s'il aime tous les hommes et qu'il est rejeté par un seul, il ne doit pas se retrancher dans la peur, la douleur, la déception ou la colère. Ce n'est pas la faute de l'autre, qui n'était pas prêt à recevoir ce qui lui était offert, à qui l'amour n'était pas donné sous conditions; il le lui a donné parce qu'il était assez riche pour en donner, parce qu'il éprouvait de la joie à donner, sans égard à ce qu'il pourrait recevoir en retour.

Il doit comprendre que, s'il est rejeté dans un amour, il y a des centaines d'autres personnes qui attendent l'amour. L'idée qu'il n'y a qu'un seul amour implique la déception. Il existe plusieurs amours, et c'est bien ainsi.

Ces idées contribueront à vous donner la capacité et la force d'aimer, ce qui exigera constamment de vous la subtilité du sage, la souplesse de l'enfant, la sensibilité de l'artiste, la compréhension du philosophe, l'abnégation du saint, la tolérance de celui qui se donne, la connaissance de l'érudit et la force d'âme du croyant. Tout un programme! Toutes ces qualités croîtront en celui qui choisit l'amour car toutes font déjà partie de son potentiel et se réaliseront grâce à l'amour. Il ne vous reste plus qu'à emprunter votre chemin vers l'amour.

---

Vivre en amour est le plus grand défi de la vie.

---

# 11

# L'amour sans excuse

« Si je me mets au niveau du dernier
des derniers, je ne suis rien; et si je ne
savais pas de certitude absolue que le
fou du village est mon égal, si je n'étais
pas fier de marcher à côté de lui
comme son ami, je ne pourrais écrire
un autre traître mot, parce que ceci
est ma force. »

— Edward Carpenter

Ce petit livre n'aura fait que tenir ses promesses; il n'aura été ni un traité philosophique et définitif sur la question, ni une exploration savante du phénomène. Je laisse ce soin à quelqu'un de plus sage, de plus expérimenté, de plus habile dans l'art d'exprimer, et de plus informé que moi.

Ce livre se voulait et est un partage. En ce sens, c'est une oeuvre d'amour. Que le message soit reçu ou non, il en a valu la peine, car en écrivant un livre sur l'amour, je me suis intentionnellement exposé à la louange ou au ridicule, à l'assentiment ou au rejet; je me suis fait totalement vulnérable. La vulnérabilité est toujours au coeur de l'amour.

Le père William Du Bay l'affirmait beaucoup mieux que moi lorsqu'il disait: « La chose la plus humaine que nous ayons à faire dans la vie, c'est d'apprendre à exprimer nos convictions et sentiments sincères et à vivre en conséquence. C'est la première exigence de l'amour, et elle nous rend vulnérables devant les autres qui peuvent nous ridiculiser. Mais notre vulnérabilité est la seule chose que nous pouvons offrir aux autres. »

Oui...!

« ... et nous-mêmes, nous serons aimés un certain temps, puis oubliés. Mais l'amour aura été suffisant; toutes ces impulsions de l'amour sont rendues à l'amour qui les a données. Même la mémoire n'est pas nécessaire à l'amour. Il existe une patrie pour les vivants et une patrie pour les morts, et le pont est l'amour, la seule survie, le seul sens. »

— Thornton Wilder

# Table des matières

Introduction ..................................... 11

Avant de dire oui à l'amour ........................ 15

1. Apprendre l'amour ............................. 47

2. Le besoin d'aimer et d'être aimé ................... 65

3. Une question de définition ........................ 75

4. L'amour sans âge .............................. 93

5. Les obstacles à l'amour .......................... 101

6. S'aimer soi-même pour aimer les autres .............. 111

7. L'amour ennemi des étiquettes .................... 121

8. Amour et responsabilité .......................... 129

9. L'amour et le respect des besoins ................... 143

10. De la force pour aimer .......................... 155

11. L'amour sans excuse............................. 163

# Ouvrages parus chez

le jour,
éditeur

sans * pour l'Amérique du Nord seulement
* pour l'Europe et l'Amérique du Nord
** pour l'Europe seulement

# COLLECTION BEST-SELLERS

* **Comment aimer vivre seul,** Lynn Shahan
* **Comment faire l'amour à une femme,** Michael Morgenstern
* **Comment faire l'amour à un homme,** Alexandra Penney
* **Grand livre des horoscopes chinois, Le,** Theodora Lau
**Maîtriser la douleur,** Meg Bogin
**Personne n'est parfait,** Dr H. Weisinger, N.M. Lobsenz

# COLLECTION ACTUALISATION

* **Agressivité créatrice, L',** Dr G.R. Bach, Dr H. Goldberg
* **Aider les jeunes à choisir,** Dr S.B. Simon, S. Wendkos Olds
**Au centre de soi,** Dr Eugene T. Gendlin
**Clefs de la confiance, Les,** Dr Jack Gibb
* **Enseignants efficaces,** Dr Thomas Gordon
**États d'esprit,** Dr William Glasser
* **Être homme,** Dr Herb Goldberg
* **Jouer le tout pour le tout,** Carl Frederick
* **Mangez ce qui vous chante,** Dr L. Pearson, Dr L. Dangott, K. Saekel
* **Parents efficaces,** Dr Thomas Gordon
* **Partenaires,** Dr G.R. Bach, R.M. Deutsch
**Secrets de la communication, Les,** R. Bandler, J. Grinder

# COLLECTION VIVRE

* **Auto-hypnose, L',** Leslie M. LeCron
**Chemin infaillible du succès, Le,** W. Clement Stone
* **Comment dominer et influencer les autres,** H.W. Gabriel
**Contrôle de soi par la relaxation, Le,** Claude Marcotte
**Découvrez l'inconscient par la parapsychologie,** Milan Ryzl
**Espaces intérieurs, Les,** Dr Howard Eisenberg
**Être efficace,** Marc Hanot
**Fabriquer sa chance,** Bernard Gittelson
**Harmonie, une poursuite du succès, L',** Raymond Vincent
* **Miracle de votre esprit, Le,** Dr Joseph Murphy
* **Négocier, entre vaincre et convaincre,** Dr Tessa Albert Warschaw

* **On n'a rien pour rien,** Raymond Vincent

**Parlez pour qu'on vous écoute,** Michèle Brien

**Pensée constructive et le bon sens, La,** Raymond Vincent

* **Principe du plaisir, Le,** Dr Jack Birnbaum

* **Puissance de votre subconscient, La,** Dr Joseph Murphy

**Reconquête de soi, La,** Dr James Paupst, Toni Robinson

* **Réfléchissez et devenez riche,** Napoleon Hill

**Règles d'or de la vente, Les,** George N. Kahn

**Réussir,** Marc Hanot

* **Rythmes de votre corps, Les,** Lee Weston

* **Se connaître et connaître les autres,** Hanns Kurth

* **Succès par la pensée constructive, Le,** N. Hill, W.C. Stone

**Triomphez de vous-même et des autres,** Dr Joseph Murphy

**Vaincre la dépression par la volonté et l'action,** Claude Marcotte

* **Vivre, c'est vendre,** Jean-Marc Chaput

**Votre perception extra-sensorielle,** Dr Milan Ryzl

## COLLECTION VIVRE SON CORPS

**Drogues, extases et dangers, Les,** Bruno Boutot

* **Massage en profondeur, Le,** Jack Painter, Michel Bélair

* **Massage pour tous, Le,** Gilles Morand

* **Orgasme au féminin, L',** Christine L'Heureux

* **Orgasme au masculin, L',** sous la direction de Bruno Boutot

* **Orgasme au pluriel, L',** Yves Boudreau

**Pornographie, La,** Collectif

**Première fois, La,** Christine L'Heureux

**Sexualité expliquée aux adolescents, La,** Yves Boudreau

## COLLECTION IDÉELLES

**Femme expliquée, La,** Dominique Brunet

**Femmes et politique,** sous la direction de Yolande Cohen

## HORS-COLLECTION

**1500 prénoms et leur signification,** Jeanne Grisé-Allard

**Bien s'assurer,** Carole Boudreault et André Lafrance

* **Entreprise électronique, L',** Paul Germain
**Horoscope chinois, L',** Paula Del Sol
**Lutte pour l'information, La,** Pierre Godin

**Mes recettes,** Juliette Lassonde
**Recettes de Janette et le grain de sel de Jean, Les,** Janette Bertrand

# Autres ouvrages parus aux Éditions du Jour

## *ALIMENTATION ET SANTÉ*

**Alcool et la nutrition, L',** Jean-Marc Brunet

**Acupuncture sans aiguille,** Y. Irwin, J. Wagenwood

**Bio-énergie, La,** Dr Alexander Lowen

**Breuvages pour diabétiques,** Suzanne Binet

**Bruit et la santé, Le,** Jean-Marc Brunet

**Ces mains qui vous racontent,** André-Pierre Boucher

**Chaleur peut vous guérir, La,** Jean-Marc Brunet

**Comment s'arrêter de fumer,** Dr W.J. McFarland, J.E. Folkenberg

**Corps bafoué, Le,** Dr Alexander Lowen

**Cuisine sans cholestérol, La,** M. Boudreau-Pagé, D. Morand, M. Pagé

**Dépression nerveuse et le corps, La,** Dr Alexander Lowen

**Desserts pour diabétiques,** Suzanne Binet

**Jus de santé, Les,** Jean-Marc Brunet

**Mangez, réfléchissez et...,** Dr Leonid Kotkin

**Échec au vieillissement prématuré,** J. Blais

**Facteur âge, Le,** Jack Laprata

**Guérir votre foie,** Jean-Marc Brunet

**Information santé,** Jean-Marc Brunet

**Libérez-vous de vos troubles,** Dr Aldo Saponaro

**Magie en médecine, La,** Raymond Sylva

**Maigrir naturellement,** Jean-Luc Lauzon

**Mort lente par le sucre, La,** Jean-Paul Duruisseau

**Recettes naturistes pour arthritiques et rhumatisants,** L. Cuillerier, Y. Labelle

**Santé par le yoga,** Suzanne Piuze

**Touchez-moi s'il vous plaît,** Jane Howard

**Vitamines naturelles, Les,** Jean-Marc Brunet

**Vivre sur la terre,** Hélène St-Pierre

# ART CULINAIRE

Armoire aux herbes, L', Jean Mary
Bien manger et maigrir, L. Mercier, C.B. Garceau, A. Beaulieu
Cuisine canadienne, La, Jehane Benoit
Cuisine du jour, La, Robert Pauly
Cuisine roumaine, La, Erastia Peretz
Recettes et propos culinaires, Soeur Berthe
Recettes pour homme libre, Lise Payette
Recettes de Soeur Berthe — été, Soeur Berthe
Recettes de Soeur Berthe — hiver, Soeur Berthe
Recettes de Soeur Berthe — printemps, Soeur Berthe
Une cuisine toute simple, S. Monange, S. Chaput-Rolland
Votre cuisine madame, Germaine Gloutnez

# DOCUMENTS ET BIOGRAPHIES

100 000ième exemplaire, Le, J. Dufresne, S. Barbeau
40 ans, âge d'or, Eric Taylor
Administration en Nouvelle-France, Gustave Lanctôt
Affrontement, L', Henri Lamoureux
Baie James, La, Robert Bourassa
Cent ans d'injustice, François Hertel
Comment lire la Bible, Abbé Jean Martucci
Crise d'octobre, La, Gérard Pelletier
Crise de la conscription, La, André Laurendeau
D'Iberville, Jean Pellerin
Dangers de l'énergie nucléaire, Les, Jean-Marc Brunet
Dossier pollution, M. Chabut, T. LeSauteur
Énergie aujourd'hui et demain, François L. de Martigny
Équilibre instable, L', Louise Deniset
Français, langue du Québec, Le, Camille Laurin
Grève de l'amiante, La, Pierre Elliott Trudeau
Hiérarchie ethnique dans la grande entreprise, Jean-Marie Rainville
Histoire de Rougemont, L', Suzanne Bédard
Hommes forts du Québec, Les, Ben Weider
Impossible Québec, Jacques Brillant
Joual de Troie, Le, Marcel Jean
Louis Riel, patriote, Martwell Bowsfield
Mémoires politiques, René Chalout
Moeurs électorales dans le Québec, Les, J. et M. Hamelin
Pêche et coopération au Québec, Paul Larocque
Peinture canadienne contemporaine, La, William Withrow
Philosophie du pouvoir, La, Martin Blais
Pourquoi le bill 60? Paul Gérin-Lajoie
Rébellion de 1837 à St-Eustache, La, Maximilien Globensky
Relations des Jésuites, T. II
Relations des Jésuites, T. III
Relations des Jésuites, T. IV
Relations des Jésuites, T. V

# ENFANCE ET MATERNITÉ

**Enfants du divorce se racontent, Les,**
Bonnie Robson

**Famille moderne et son avenir, La,**
Lynn Richards

# ENTREPRISE ET CORPORATISME

**Administration et la prise, L',** P. Filiatrault, Y.G. Perreault

**Administration, développement,**
M. Laflamme, A. Roy

**Assemblées délibérantes,** Claude Béland

**Assoiffés du crédit, Les,** Fédération des A.C.E.F. du Québec

**Coopératives d'habitation, Les,** Murielle Leduc

**Mouvement coopératif québécois,** Gaston Deschênes

**Stratégie et organisation,** J.G. Desforges, C. Vianney

**Vers un monde coopératif,** Georges Davidovic

# GUIDES PRATIQUES

**550 métiers et professions,** Françoise Charneux Helmy

**Astrologie et vous, L',** André-Pierre Boucher

**Backgammon,** Denis Lesage

**Bridge, notions de base,** Denis Lesage

**Choisir sa carrière,** Françoise Charneux Helmy

**Croyances et pratiques populaires,** Pierre Desruisseaux

**Décoration, La,** D. Carrier, N. Houle

**Des mots et des phrases, T. I,** Gérard Dagenais

**Des mots et des phrases, T. II,** Gérard Dagenais

**Diagrammes de courtepointes,** Lucille Faucher

**Dis papa, c'est encore loin?,** Francis Corpatnauy

**Douze cents nouveaux trucs,** Jeanne Grisé-Allard

**Encore des trucs,** Jeanne Grisé-Allard

**Graphologie, La,** Anne-Marie Cobbaert

**Greffe des cheveux vivants, La,**
Dr Guy, Dr B. Blanchard

**Guide de l'aventure,** N. et D. Bertolino

**Guide du chat et de son maître,** Dr L. Laliberté-Robert, Dr J.P. Robert

**Guide du chien et de son maître,** Dr L. Laliberté-Robert, Dr J.P. Robert

**Macramé-patrons,** Paulette Hervieux

**Mille trucs, madame,** Jeanne Grisé-Allard

Monsieur Bricole, André Daveluy

Petite encyclopédie du bricoleur, André Daveluy

Parapsychologie, La, Dr Milan Ryzl

Poissons de nos eaux, Les, Claude Melançon

Psychologie de l'adolescent, La, Françoise Cholette-Pérusse

Psychologie du suicide chez l'adolescent, La, Brenda Rapkin

Qui êtes-vous? L'astrologie répond, Tiphaine

Régulation naturelle des naissances, La, Art Rosenblum

Sexualité expliquée aux enfants, La, Françoise Cholette-Pérusse

Techniques du macramé, Paulette Hervieux

Toujours des trucs, Jeanne Grisé-Allard

Toutes les races de chats, Dr Louise Laliberté-Robert

Vivre en amour, Isabelle Lapierre-Delisle

# LITTÉRATURE

À la mort de mes vingt ans, P.O. Gagnon

Ah! mes aïeux, Jacques Hébert

Bois brûlé, Jean-Louis Roux

C't'a ton tour, Laura Cadieux, Michel Tremblay

Coeur de la baleine bleue, (poche), Jacques Poulin

Coffret Petit Jour, Abbé J. Martucci, P. Baillargeon, J. Poulin, M. Tremblay

Colin-maillard, Louis Hémon

Contes pour buveurs attardés, Michel Tremblay

Contes érotiques indiens, Herbert T. Schwartz

De Z à A, Serge Losique

Deux millième étage, Roch Carrier

Le dragon d'eau, R.F. Holland

Éternellement vôtre, Claude Péloquin

Femme qu'il aimait, La, Martin Ralph

Filles de joie et filles du roi, Gustave Lanctôt

Floralie, où es-tu?, Roch Carrier

Fou, Le, Pierre Châtillon

Il est par là le soleil, Roch Carrier

J'ai le goût de vivre, Isabelle Delisle

J'avais oublié que l'amour fût si beau, Yvette Doré-Joyal

Jean-Paul ou les hasards de la vie, Marcel Bellier

Jérémie et Barabas, F. Gertel

Johnny Bungalow, Paul Villeneuve

Jolis deuils, Roch Carrier

Lapokalipso, Raoul Duguay

Lettre à un Français qui veut émigrer au Québec, Carl Dubuc

Lettres d'amour, Maurice Champagne

Une lune de trop, Alphonse Gagnon

Ma chienne de vie, Jean-Guy Labrosse

Manifeste de l'infonie, Raoul Duguay

Marche du bonheur, La, Gilbert Normand

Meilleurs d'entre nous, Les, Henri Lamoureux

Mémoires d'un Esquimau, Maurice Métayer

Mon cheval pour un royaume, Jacques Poulin

N'Tsuk, Yves Thériault

Neige et le feu, La, (poche), Pierre Baillargeon

Obscénité et liberté, Jacques Hébert
Oslovik fait la bombe, Oslovik
Parlez-moi d'humour, Normand Hudon
Scandale est nécessaire, Le, Pierre Baillargeon

Trois jours en prison, Jacques Hébert
Voyage à Terre-Neuve, Comte de Gébineau

---

## SPORTS

Baseball-Montréal, Bertrand B. Leblanc
Chasse au Québec, La, Serge Deyglun
Exercices physiques pour tous, Guy Bohémier
Grande forme, Brigitte Baer
Guide des sentiers de raquette, Guy Côté
Guide des rivières du Québec, F.W.C.C.
Hébertisme au Québec, L', Daniel A. Bellemare
Lecture de cartes et orientation en forêt, Serge Godin
Nutrition de l'athlète, La, Jean-Marc Brunet
Offensive rouge, L', G. Bonhomme, J. Caron, C. Pelchat

Pêche sportive au Québec, La, Serge Deyglun
Raquette, La, Gérard Lortie
Ski de randonnée — Cantons de l'Est, Guy Côté
Ski de randonnée — Lanaudière, Guy Côté
Ski de randonnée — Laurentides, Guy Côté
Ski de randonnée — Montréal, Guy Côté
Ski nordique de randonnée et ski de fond, Michael Brady
Technique canadienne de ski, Lorne Oakie O'Connor
Truite, la pêche à la mouche, Jeannot Ruel
La voile, un jeu d'enfant, Mario Brunet

*Lithographié au Canada*
*sur les presses de*
*Métropole Litho Inc.*